亦舒

不易居

不易居·亦舒

出版：天地圖書有限公司
香港皇后大道東109～115號智群商業中心十三字樓
電話：2528 3671　圖文傳真：2865 2609
香港灣仔莊士敦道三十號地庫（門市部）
電話：2528 3605　2865 0708　圖文傳真：2861 1541

承印：亨泰印刷有限公司
香港柴灣利眾街27號德景工業大廈十字樓
電話：2896 3687　圖文傳真：2558 1902

發行：利通圖書有限公司（港澳）
九龍紅磡民裕街41號凱旋工商中心8樓C
電話：2303 1010（13線）　圖文傳真：2764 1310

ISBN 962 257 367 3

一九九五年·香港

石子站在廚房門口不住張望，只是焦急，但是又不敢出聲催促。

大師傅阿陳看見那張忙熱得通紅的俏臉，起了憐惜之意，佯裝不經意，對手下瘦張喝道：「四號枱子的二號套餐好了沒有？」

瘦張只得快馬加鞭，把兩隻熱炒趕出來。

石子如蒙大赦似把菜托着出去。

福臨門是一間中下價唐人餐館，石子在該處做了已經大半年，臨時工，加幣五塊半一小時，最低工資，每天晚上在樓面跑來跑去做女侍，打烊時難免手腳酸輭，可是她需要生活費用。

福臨門的生意好得不得了，價錢廉宜，碟頭大，大師傅手藝還不錯，故客似雲來，忙得石子團團轉。

雙手托滿髒盤碗回廚房之際，忽然臀部着了一記，石子一怔，回過頭去，發覺非禮她的人是名十五六歲少年，正看着她挑釁地笑。

該剎那石子就要下決定：吵起來還是忍聲吞氣，她也是人，她也有自尊心，她也有原則。

可是老闆娘已在叫她：「石子，到這邊擦擦枱子。」

石子不怒反笑。

屈辱？也根本不覺得了。

她忽忽隨着做不完的髒工夫往前進，揮着汗，頭髮永遠有股洗不淨的油膩味，一雙黑鞋早已穿得爆縫，白衫黑裙上全是菜漬。

這是天下最腌臢的地方之一。

那天收了工，關了門，石子坐下來鬆口氣。

數一數客人給的小費，總共二十多元，她握着鈔票，無奈地笑。

老闆娘遞香烟給她：「吸一支？」

石子搖搖頭，拎起手袋外套，「明天見。」

在公路車上已幾次三番累得想睡着。

到了家，取出鎖匙，開門進地庫，看到室友孔碧玉正在搽寇丹。

她與碧玉共租一個地庫，每人分攤三百五十元房租。

碧玉並無抬頭看她，只是伸出手凝望鮮紅色指甲，「回來啦。」

石子倒在床上。

「累得賊死嘍？」碧玉咕咕笑。

石子不去理她。

「不如到我這邊來做。」

石子忍不住搶白她：「從沒見過你那樣開心的脫衣舞孃！」

孔碧玉仍在笑，「我的職業叫做 EXOTIC DANCER，你別亂講。」

「半裸着扭動身體給一班猥瑣男人觀看，多難受。」

「每星期工作三天，每天跳一小時，收入是你的三倍，小姐，難不難受，看你自己的了。」

「你墮落。」

「我就知道世上只得你一人清高。」

石子悲哀地說：「碧玉，我倆不要自相殘殺。」

碧玉一手熄了燈，「睡吧。」

「我還沒淋浴。」

「我已習慣你身上那股髒抹桌布似氣味。」

石子長長歎口氣。

「對，令尊有信來，就在茶几上。」

石子不出聲。

「我明白你的心情，長年累月報喜不報憂，弄得神經衰弱。」

沒有回音。

「石子？」

一看，石子已經熟睡。

一雙舊鞋八字形脫在床頭。

石子一隻手擱在床外，碧玉可以看到她手背上熨的瘢痕。

這幾年來她一直當女侍維生，看得到已付出驚人代價，石子整個人粗糙了。

孔碧玉呆一會兒，看着窗外的滿月，這異鄉之月的瑩光照不到她們身上。

石子與碧玉在上海申請到北美自費留學，托福試考七百分以上，許多大學都願意錄取。

兩人自小是鄰居，有商有量，決定到加拿大溫哥華落腳。

「我聽人說安大略省像咸苗頓市物價比較廉宜。」

碧玉立刻說：「那邊都是苦學生。」

石子一時還未領悟。

碧玉用手肘碰她一下，「怎麼挑對象？」

石子恍然大悟。

到了卑詩省後沒多久便發生六四事件，加國政府願意接受中國學生申請永久居民權，趁這個千載難逢機會，兩人立刻進行申請手續，萬幸都迅速批准下來。

一兩年之後，事件冷卻，據說申請人便受到若干阻撓。

可是生活是天長地久之事，人活在世界上，需要不停支付生活費用，資本主義都會都是長安，不易居。

極窘的時候連洗頭水衛生棉都買不起，不得不想辦法打工賺錢。

碧玉頭一個耐不住放棄學業，跑到快餐店當女侍。

半年後又轉到遊客區做售貨員，被店主指態度欠佳，開除。

碧玉訴苦：「在上海，我爹我媽統是外科醫生，收入雖然不高，身分倒也受人尊重，我自小聰明伶俐，從來無人責罵，眞沒想到會有今天。」

與石子抱頭痛哭。

前後數年，整個人都變了。

石子仍然讀書，商業管理系第三年，越是捱越是想畢業。

碧玉則一日比一日偏激，「畢業也等於失業，這個埠難以找到理想工作。」

「拿到身分証到香港去。」

「多少香港人還想盡百寶要走出來呢。」

碧玉向錢看，成日到高級住宅區去兜圈子，又愛到市中心逛時裝店。

石子說：「衣服用來蔽體，都一樣啦。」

「大不同，」碧玉斬釘截鐵，「穿粗糙的衣服，人就沒相貌，人靠衣粧，佛靠金粧。」

第二天，睡醒了，碧玉向石子宣布一個消息。

「石子，我要搬了。」

石子正在淋浴，聽到此話，刷一聲拉開浴簾，「你是什麼意思？」

「搬出這土庫，搬到本那比簇新兩房公寓去。」

石子愣住，「幾時？」

「今天。」

「什麼！」

碧玉作無奈狀，「應該早些告訴你，可是怕你接受不來，於是拖到最後，一切家具雜物統統送給你，房租付到月底，你一個人享受這個土庫吧。」

石子發愣，她獨自怎麼負擔得起房租？

碧玉遞浴袍給她，「小心着涼。」

眞沒想到自幼的情誼到今日一刀兩斷。

碧玉歎口氣，「石子，大難來時各自飛。」

石子坐在碧玉身邊，低頭不語，半晌才說：「你去吧。」

碧玉頓感意外，「你不追究？」

「各人要求與際遇不一樣，希望你與我保持聯絡。」

「你的開銷——」

石子抬起頭來，「我自己會想辦法。」

孔碧玉又說：「我父母那邊，我想你幫個忙。」

「你要我怎麼說？」

「什麼都不說就好。」

石子苦笑，「答應你，」看看錶，「我要上學了。」

「你回來時我已走了。」

石子不由得與碧玉擁抱，「再見，祝福。」

在公路車上，石子只是發獃。

碧玉這一走，直接影響到她，本來二人相依爲命，現在再也無人與她有商有量，凡事都得由她獨立承擔了。

都會人海茫茫，石子打個冷戰，自此她像個孤雛，活得下來也無人理會，遇上劫難更需自生自滅。

那日才得兩節課，中午之前就放學，石子回福臨門飯店去看新聞。

爲什麼不回家看？一則沒有電視機，二則收看中文節目需要另外付安裝費及月費，不是石子可以負擔。

大師傅阿陳光着上身只穿一件汗衫，坐在電視機旁喝啤酒，六月時分，中午新聞正在播放當年民運人士近況。

阿陳指着螢幕說：「一個個都胖成那樣，可見資本主義社會油水十足，哎唷唷，這位小姐不但變成雙眼皮，且墊高了鼻樑，眞正脫胎換骨，且聽聽他們說些什麼。」

石子斟一杯水喝。

阿陳轉過頭來看着石子，「當年你在什麼地方？」

石子答：「我在上海忙着寄信給香港的親戚懇求他們資助我自費留學。」

「每個人都想出來嘜，可是處處有吃苦的窮人。」

石子忽然說：「至少我有吃苦的自由。」

大師傅笑了。

石子坐下來，「結果由父母千方百計湊了路費出來。」

「大學裏應找得到研究工作，何用到唐人餐館來吃苦。」

「到處有人滿之患，那裏輪得到我，還沒畢業呢。」
大師傅仍然看着她，「石子，你臉色灰敗。」
石子苦笑，「瞞不過你。」
「什麼事？」
「我的朋友今天搬走。」
「呵有了新出路。」
「是，她認識了一個台灣人，已經結伴去過日本，兩個人在一起很高興。」
大師傅點點頭，「現在是搬出去與他同居？」
石子說：「想必是。」
大師傅抱怨：「你怎麼一點竄頭也無？」
奇是奇在石子本人也十分惆悵，「是呀，根本無人看我。」
「你眞丟盡上海姑娘的臉，你的眼珠子不會骨碌碌的轉嗎，穿件鮮艷點的衣裳呀，還有，看到男人，不稱讚他，也罵他幾句，好讓他注意你呀。」
石子吃驚地抬起頭來，「陳師傅，你吃這一套？」

阿陳瞪大雙目，「吃，吃得死脫！」

石子頹然。

「笑，起勁地笑，往男人身上靠去，伸手去捏他們手臂，這是甜頭，明白嗎？」

石子問：「你會這樣教你女兒嗎？」

大師傅嚇一跳，「當然不，但是石子，你需要求生，否則這個社會會吞噬你，正像把他們吃掉一樣。」他呶一呶嘴，螢光幕上民運領袖正表示下半年工作無着落，大學節省經費，又不打算與他續約云云。

石子低下頭。

「以後怎麼辦？」

「得找個便宜點的地方搬。」

「餐館閣樓還有張破床。」

「不不不，」石子害怕，「我寧願學習眼珠子打轉，水汪汪一直落到街上滾出去。」

大師傅凝視她，「你學得會嗎，有些人天生一對死魚眼！」

「唏，老陳，」石子啼笑皆非，「謝謝你。」

「石子，我若沒結婚，我一定收留你。」

石子跳起來，「你也不照照你那副尊容！」

阿陳呵呵笑，「我只不過胖一點而已。」

老闆娘區笑萍推門進來，「什麼事有說有笑這麼高興，阿陳，你一見石子便風騷，小心我告訴陳太太。」

「石子正在這裏煩惱，她窮途潦倒，前途茫茫。」

區姑娘一聽，嗤一聲笑出來，「廿多歲的大姑娘會得沒出路？老陳，你吃撐了。」

老陳一怔，想了想，果然如此。

區姑娘笑笑，閑閑道：「自古至今，做買賣，都是拿本身所有，去換那沒有的，石子，你說對不對？」

石子看着區姑娘。

區姑娘說下去：「你有青春，你有美貌，你也有力氣、智慧，看你打算賣什麼，去換什麼了。」

石子大氣不敢透一下。

「花花世界，年輕漂亮的女孩子最有辦法，一個翻身，立刻晶光燦爛，叫人不敢逼視。」

老陳閑談不忘拍馬屁，「老闆娘這是夫子自道。」

區姑娘冷笑一聲，「絕非我自誇，當初看不起我的人，現在全住我山腳。」

老陳似唱相聲，「石子，聽到沒有？」

區姑娘吁出一口氣，「不過，石子，你就難一點。」

「如何見得？」老陳問。

「單是這名字就沒有想像力，比不上人家叫描紅、專紅、艷紅。」

石子已無心情，「我回家去寫功課。」

區姑娘站起來，用報紙包了兩塊炸鷄給她，「放心，還有我們呢，不會讓你餓死。」

石子要到此際，才怔怔落下淚來。

她別轉臉，怱怱離去。

炸鷄同筆記一起放在布袋裏揹着。

她自唐人街走到羅布臣街，天氣好，陽光普照，大街兩旁都是江湖賣藝人。梵啞鈴演奏、默劇小丑表演、賣氣球小販……各佔一個角落。

忽然見到一堆不修篇幅的華人，口操滬語，正在大聲說粗話罵人，抱怨生活艱難。

石子嚇一跳，退避三舍，繞彎低頭忽忽走過。

這幾個人頭髮打結，手持香烟，身邊放着幾幅素描，大概是打算替遊客速寫。

石子不敢多看，見有公路車，立刻跳上去。

怕，怕被他們認出是同鄉。

回到家，打開門，碧玉果然已經搬走，什麼都沒有帶，桌上有張字條，以及數百元鈔票，字條上寫着新電話地址。

石子不知道說些什麼才好。

她拆開家書，母親照例十分掛念她：「——你也不回來走走，湊飛機票錢應該不太困難，人家都衣錦還鄉了。」

石子攤開紙筆，寫起家書來。

先把湖光山色形容一番，然後再三保證她是何等健康快活，前途是怎麼樣的光明……

「去年七月一日加國國慶，我無意走進一間百貨公司，只見一隻二呎乘三呎大的蛋糕，用果醬與奶油拼出楓葉國旗圖樣，由店員切開，分小塊小塊盛在紙碟上，免費派給客人享用，是國家生日呢，故吃蛋糕，眞太好了，這個國家的人眞會享樂，雖然國債纍纍，經濟不景，卻志氣不滅，今年我會到同樣的地方去吃蛋糕，我也是加國的永久居民，再過幾年經濟有了基礎當接你與爸過來享福。」

寫完這樣的信眞會累得昏厥。

地庫內少了碧玉吱吱喳喳的聲音，十分寂寥。

石子自布袋取出那兩塊炸鷄來吃。

攤開報紙，她看到頭條新聞，溫埠的中文報紙辦得十分出色，且賺大錢。

華東水災，香港立法局辯論彭督政改方案……第二頁是分類廣告，石子把骨頭吐在報上。

忽然她看到這段小廣告。

「聘請保母，包食宿，薪優，工作時間面議，請電九二三八八何宅」。

石子心一動。

帶孩子是女性天職，倘若每週工作四十小時，帶一個嬰兒，她自問吃得消。

馬上要放暑假了，先應付了這三個月再說，見一步走一步。

至要緊有得吃有得住。　。

市中心正面大厦林立，街道整潔，店舖貨品齊全，轉一個彎就是陰暗面，乞丐蹲在污水溝邊，吸毒者倒斃冷巷，不由石子不害怕。

碧玉決定到夜總會跳舞那日，石子痛哭起來，她怕她從此墮落。

她苦苦哀求碧玉莫下此策，但當時她還天眞，現在她已麻木。

今天必需要有食有宿，這是最重要的事。

那夜，她在福臨門做到凌晨，雙腿似賣了給店堂，動彈不得。

大師傅阿陳送她返家，她在車上昏睡。

他把她推醒，「女孩子在任何時間都得打醒精神，莫被人佔了便宜去。」

石子歎息一聲，「誰，誰要佔一隻死豬便宜。」

地庫裏少了碧玉，更加簡陋淒清。

第二天清晨驚醒，忙着換衣服，才想起暑假已經開始，學校歇暑。

本來應該很高興，像去年，她白天在魚場兼職，做得渾身腥臭，可是多了數千元節蓄。

今夏也得同樣振作才行。

她把昨日包炸鷄的報紙取出來，找到那則聘人廣告，用紅筆圈住，打電話過去。

「找何太太。」

「這裏沒有何太太，你願意同何先生講話嗎？」是菲律賓人口音，看樣子何宅已有家務助理。

躭一會兒何先生來了，喂地一聲。

「何先生，早，我來應徵保母一職，我姓石。」

那何先生一怔，隨即答：「石小姐，你不介意回答幾個問題吧。」

「何先生請問。」

「貴庚？」

石子故意說大一點，「廿多歲。」

「有無經驗？」

「有，育嬰、替幼兒補習、烹飪、打刷，全會，我有駕駛執照。」

「有無前任雇主推荐書？」

石子立刻說：「有。」她沒有說謊，前年一位史密遜牧師太太的確給過她一封推荐書。

「今天可以來見面嗎？即使不成，也會付你車錢。」

「何先生，請你說個時間。」

「上午十時正吧。」他說出地址。

「好，我會準時。」

放下電話，石子鬆口氣。

猛然想起，忘記問何家有幾個孩子。

她淋浴更衣，穿件光鮮衣裳出門去，碧玉走了，留下衣服鞋襪，派上用場。

石子轉了兩次公路車，到了山上，下了車，還需步行一段路。

來到愛蒙路三二〇號，在門口先打量一會兒，只見圍牆上釘着小小一塊銅牌，上寫着「不易居」三個中文字，石子覺得有點突兀，好奇怪的屋名，那是一層三層高的花園洋房，前後有庭院，外型十分低調，可是一定雇着個好園丁，只見繁花似錦，欣欣向榮，美不勝收。

在斜坡上一迴身，正好看到海景以及整個溫哥華市，自右至左依序是史丹利公園、市中心、格蘭湖、本那比、以及北溫固羅斯山。

石子吁出一口氣，風景眞好。

上海位於長江支流黃浦江的三角洲平原上，上海沒有這樣的風景。

可是石子聽人說香港最名貴的住宅也在山上。

正在遲疑，尚未按鈴，大門已經打開，一個菲律賓女傭探頭出來問：「是石小姐嗎？」

石子連忙掛起笑臉，「是。」

「請進來。」

一進門，發覺屋子有個極大玄關，屋頂十分高敞，大玻璃窗，柚木地板，家具簡單

實用，石子十分好感，即使是名窮學生，她約莫也知道什麼叫做品味。

女傭把她帶到客廳左邊一間會客室。

「何先生馬上來。」

會客室長窗對牢後園的草地花圃以及泳池。

窗戶半掩，空氣中洋溢着甜蜜的花香，石子深深嗅一下，苦中作樂，即時認爲活着還是好的。

身後有人咳嗽一聲。

石子轉過身去。

她看到一個年約三十多歲的男子伸手出來，「石小姐吧。」

石子與他握握手。

「請坐，喝杯茶。」

那何先生穿西裝打領帶，石子很少在她的環境裏看到西服煌然的男人，即使是講師，衣着也很隨便，這何先生一定是位生意人。

「石小姐，你可有把履歷帶來？」

石子把履歷及推荐信遞上。
何君閱後，有點困惑，「石小姐，你是卑詩大學現任學生。」
「是。」
「這份工作可不是暑期工，我打算長期雇用保母。」
石子不慌不忙答：「何先生，且試用三個月如何？」
那何先生看着石子年輕秀麗的面孔，過一會兒才說：「我有三個孩子，實在等人用。」
石子倒抽一口冷氣。
「十三歲長女，十歲兒子，以及七歲幼女。」
不是嬰兒，石子放下心來。
「你負責照顧安排他們起居飲食，各種健康娛樂，還有，每天抽個多小時來補習中文，我想他們學講普通話。」
「我可以勝任。」
「每天工作時間約自上午八時至下午五時，每周工作七天。」

沒有假期？

何君無奈，「孩子們實在需要人照顧，故此薪水略高，我可以出到一千八百元。」

石子忍不住在心中說：太好了。

「可是你晚上還要到中國餐館去上班？」

「是，何先生，否則明年學費沒有下落。」

何君問：「那不是太辛苦了嗎？」

石子但笑不語。

何君吁出一口氣，「正如你說，且做三個月試試，」他取過一幀照片給石子看，「這是我那三個孩子，他們叫寫意、自在、悠然，我叫何四柱。」

石子暗暗讚一聲好名字，「孩子們可以叫我石子。」

「你明早來上班吧，我可以撥一輛車子給你用，汽油歸公家，接載孩子，小心駕駛。」

石子忍不住問：「孩子們呢？」

「在香港探他們的母親，明天回來。」

石子一怔。

何四柱似乎要趕時間，「我送你下山去。」

石子跟着他走。

「後天輪到我回香港。」

怪不得那麼急要請保母。

「過來看一看，這輛小福士哥爾夫給你用。」

對石子來說，今日遭遇好比仙履奇遇。

何四柱看着石子，「工作蠻辛苦，希望你幫忙，孩子們不算頑劣，不過倒底是孩子，你要處處包涵，我可能是多嘴了。」

石子只是陪笑。

「你要是願意留宿，保母套房在地庫。」

「我先做下來再說，請問，何太太幾時回來？」

何四柱沉默一會兒，忽然歎口氣，「何太太與我經已離婚，她不習慣這裏生活，她永遠不會再回來了。」

石子嚇一跳，立刻噤聲收歛笑意。

十分鐘後，她請何先生在市中心讓她下車。

那麼美麗的家園，那樣明眸皓齒的孩子，都留不住她的心，這究竟是怎麼一回事？

難道，不易居眞的不易居？

又有什麼人，會把自己的家叫做不易居？

不管它了。

握着兩分工作，石子心落了實。

大師傅阿陳卻不看好。

「你又不是鐵打，哪裏撐得住，不如辭掉晚上這份。」

「不不不，我需要錢。」

「健康最重要。」

「我年輕力壯，你別小覷我。」

「當心，失去健康，即失去一切。」

石子十分悲哀，「明年又要加學費了。」

「誰教你迷信上大學，我才小學程度，一樣快樂生活。」

石子看着肥陳，「你是例外，我很替你慶幸，你既幸運又知足，但願人人都像你。」

阿陳歎口氣，「何必同自己過不去，只有這麼多，不去作非份之想，自己開心點。」

石子用手托着頭，「我希望得到更多，海景洋房、大房車、珠寶、華服、女傭人、司機……」

「那你得學你的朋友，不然就太遲了。」

石子氣綏，「你沒有見過她那台灣朋友吧？」

「長得醜？」

「相貌由父母生成，不用計較，那人其實高大英俊，可是屬於某幫會，同日本野寇黨又很熟，是個危險人物。」

大師傅順手取過一張中文報紙，那頭條恰巧是「溫哥華犯罪集團華裔控制，亞洲匪幫組織力全球居首」。

大家都歎口氣。

老闆娘走過，訓曰：「有得吃有得穿，緣何長嗟短歎？」

石子抬起頭，「爲什麼華人要求那麼低，永遠只求溫飽以及上頭不要來找喳？」

大師傅頷首笑曰：「聽聽，大學生又不滿足了。」

老闆娘區笑萍拍手道：「果然如此。」

「大學生最麻煩，又要好吃，又要好穿，既要民主，又要自由。」

「如此驕矜，如何辦事。」

「好了好了，」石子雙手掩耳，「別借題發揮了。」

那天晚上，有一個喝醉酒的洋漢試圖把十塊錢小費塞到石子的衣領裏去。

區姑娘前來打圓場。

該剎那石子原諒了孔碧玉。

在碧玉眼中，做女侍同跳脫衣舞同樣屈辱，不如到一個薪酬多幾倍的地方去。

石子躲進狹窄的更衣室。

區姑娘追過去，見石子低着頭，以爲她氣哭了，因說：「那一桌人已經走了。」

石子抬起頭來，一張臉心平氣和，絕不像裝出來，「我沒事，我只是腿酸。」

「看得開就好。」

石子揉着腳趾，「自做女侍以來，這雙腳已經大了兩號，我到現在才知道爲什麼苦力雙腳會那麼大，皆因負重。」俗云頭大富，腳大苦。

區姑娘微笑地看着她，「石子，你會有出息的。」

「謝謝老闆娘。」

「你的名字爲什麼叫石子？」區姑娘終於忍不住。

「家父姓石，我是石家的孩子，故名。」

「也眞別緻，別多講了，速速出去招呼客人。」

開頭，石子也試過找些英文卷子來譯作中文賺些稿費，稍後發覺既費神又耗時，收入菲薄，且時常收不到稿費，干脆來捧盤碗。

一直認爲，捱到畢業，想必是另一番光景。

可是眼見師兄姐自學堂出來，不過是做售貨員、導遊、銀行出納、收入甚微，看樣子就快要同實施社會主義的中國看齊，碧玉父母都是外科醫生，但一直慨歎拿手術刀的

還不如拿剃頭刀的。

這才叫碧玉沮喪，不是客人的怪手。

回到那個簡陋的家，她算了一算，每日大約可維持六小時睡眠，夠了，睡那麼多幹什麼。

她伏案寫家書：「媽媽，我找到一份家教工作，薪水好極了，有剩錢當寄回來，最近可能會搬到大學附近去住，地址一旦確實，馬上通知你……」

搬到大學附近去？那是全市最貴的住宅區，倒底年輕，石子見自己那麼會吹牛，不禁嗤一聲笑出來。

她累極而睡。

第一隻鬧鐘響的時候她還不知身在何處，十分鐘後第二隻鬧鐘又響。

一隻指甲大的蛛蜘在天花板一角結了隻網，吊下來，剛好垂在石子面前，一張嘴，就可以把牠吞下去。

六十五年的老房子，結構還算結實，可是蛇虫鼠蟻，什麼都有，已見怪不怪。

這一區治安欠佳，先一個月才有住客清晨携狗散步遭黑社會點錯相鎗殺，又有匪徒

入屋行劫脅持人質與警方對恃七十二小時。

饒是這樣，碧玉與石子還時時爲區區數百元房租擔心。

對她來說，生活程度高到什麼地步可想而知。

可是她一直聽到香港與台灣人沒聲價讚溫埠物價廉宜，唉。

到達何宅之際何四柱剛預備去接飛機，在門口碰見石子，他說：「我最欣賞的美德是守時。」

石子忽然臉紅，「應該的。」

何四柱把小車子的鎖匙交給她，「工作馬上開始，你且載馬利去買菜。」

「是。」

馬利已經準備好，「何先生說到唐人街市場，孩子們要吃中國菜。」

「我們一起去。」

她把車子小心翼翼駛出車房，感覺頓時不同，這條山路堪稱是風景區，一路只覺心曠神怡。

馬利十分健談，話奇多，直率，石子喜歡這樣的人，無機心，容易相處。

「……何家一直換保母，你是本年度第三名了，都做不長，不是孩子們不喜歡，就是英文程度不夠，或是年紀太大，石小姐，你是理想人選。」

又說：「這一家，說是說有五口，可是何太太已經走了，何先生起碼有大半年在香港，孩子們一有假期便離開溫哥華，很多時候，只有我一個人。」

石子忍不住問：「此刻暑假，為什麼又回來？」

馬利活潑地吐吐舌頭，「我知我不該說，但是何太太在香港忙訂婚，沒空招呼孩子。」

呵。

石子不知說什麼才好。

說孩子們可憐呢，又不見得，好吃好住，一定要什麼有什麼，可是母親居然又同他人訂婚，縱使不愁衣食也想必尷尬。

兩個女孩子的名字叫寫意與悠然，男孩叫自在。

石子微笑，賺得名利之後，至要緊是寫意自在悠然。

「石小姐，你會喜歡他們的，何先生又毫無架子，待下人極好，兩個女孩美貌如安

琪兒。」

石子點頭。

馬利說：「眞不明白何太太爲何離去。」

說得好，石子也不明白。

二人忽忽挑選蔬果肉食糕點返家。

可能是飛機誤點，何家幾口尙未回來。

剛在教馬利打理食物，忽聞得汽車喇叭聲。

石子連忙迎出去。

只見大門一開，兩個女孩子繃着臉直奔樓上臥室，看到陌生人既不打招呼也不問是誰，與石子擦身而過。

何四柱無奈攤手，「好像我從來不教她們禮貌。」

「吃過午飯沒有？」

「尙未。」

「我去做幾個菜，孩子們喜歡吃什麼？」

「他們外婆是上海人——」

「好極了。」

「石子，她們心情不好，平常不是這樣的。」

石子嘴快快，竟然答：「我知道。」

話一出口，無地自容，她知道，知道什麼？分明在背後講東家是非長短，石子羞得燒紅了耳朵。

幸虧何四柱一時並無注意話有什麼不妥。

他說：「我在書房裏。」

玄關裏只剩石子與那個男童。

那男孩穿着考究，容貌端正，十分討人喜歡。

「你一定是何自在。」

「那確是我。」用英文回答，聲音還十分清脆。

「在何處讀書？」

「聖喬治。」

「第幾班？」

「第五級。」

「功課好嗎？」

「暑假何必提及功課。」十分機靈。

「說得對，要不要到廚房來幫忙？」

「我只參觀。」有點抗拒。

石子笑，「學兩度散手包管有用。」

「何故？」

「女生喜歡懂烹飪的男生。」

「你肯定？」

「我可以保證。」

「呵，馬利在做什麼？」

「裹菜肉雲吞。」

「我外婆也會做。」

「試試看那隻好吃。」

放下自在，石子到樓上去看兩位小姐。

她敲敲門。

「誰？」

「新來的保母石子。」

「請進。」

推門進去，看到兩位小姐的居所，石子輕歎一聲。

這簡直是公主的睡房呢，一切都用粉紅與象牙白的花邊及輕紗，倒處放着洋娃娃、銀相架，茶几之上有一大籃貝殼。各種新奇音樂盒子水晶等擺設。

兩個人合用一個起坐間，沙發電視電話一應俱全。

許多人一生都不可能擁有那麼多！

大小姐何寫意伸出手來，「石子你好，爸跟我們說起過你，請坐。」

語氣十分客氣，像個小女主人，由此可見十分懂事，可是神情略嫌倨傲。

石子無所謂，她並不期望兩位小姐一見她便撲到她懷抱來緊緊抱住她，這不過是一

份工作。

「這是我妹妹悠然。」

何悠然一點也不悠然，很不高興地抬起頭同石子說：「石子，有什麼事，我們會叫你，否則不要隨便進來。」

唷，好厲害的口氣，一般保母，光聽此言，自尊心便吃不消兜着走，可是石子是石子，不以爲忤，笑咪咪地答：「那不行，我只聽何先生的命令，你還是個孩子，我不進房來，怎麼照顧你？現在快去梳洗，淋個浴好吃鷄湯菜肉雲吞。」

小悠然雙眼一亮，忘卻使意氣，「呵我喜歡吃雲吞。」馬上到浴室去。

寫意老氣橫秋地說：「眞是個孩子。」

石子看着她：「你呢，你是大人嗎？」

「當然。」寫意雙目看着窗外。

「大人就好，大人講道理，坐了十多小時飛機，吃點東西，好休息。」

「我懂得照顧自己。」

「那我工作量就減輕了。」

石子找到悠然的衣櫃，替她取出替換衣裳及毛巾浴衣，發覺悠然最多琳瑯的派對裙子，襪子卻已穿孔，內衣不敷用，不禁苦笑。

這就是乏人照顧的證據了。

她喃喃道：「起碼要添多十副八副內衣。」

寫意忽然加一句，「我也要。」

石子抬起頭，「明天一起去買。」

寫意臉色有點鬆弛，「別的保母都不理這些。」

石子不便置評，又去檢查衛生間，馬利的工夫很週倒，她很滿意。

石子忽然想到自己用的香皂已經用成紙那樣薄薄一片，她有一隻破絲襪，專門用來裝碎肥皂，物盡其用。

自在的房間又是另外一副光景，天花板上掛滿了飛機模型、地上是模型火車軌道，一張大桌子上是十多廿具鐵甲人玩具，都整整齊齊安放着。

要不，他特別文靜，要不，他並不理睬這些玩具，後者居多數。

石子正查看他的衫褲鞋襪，他上來了，繞過地下的玩具，坐到書桌前取起電子遊戲

機，「雲吞好吃極了，我對你很滿意，石子，你可以做下去。」

石子笑笑看着他，「我是你的保母，由你父親聘用，地位同你老師差不多，你要聽我的話。」

何自在有點不服，「沒有商量嗎？」

「有意見，當然可以提出來，但即使對馬利，也不能呼來喝去，她付出勞力，你爸付出工資，公平交易，她地位不低。」

自在點頭，「爸也是那麼說。」

石子倒是意外，「那太好了。」

「爸有話同你講，請你下去。」

何四柱在書房裏，書桌上堆滿各種文件，見到石子，抬起頭來，歎口氣。

「我現在就得趕去上飛機，香港那邊叫我早一天回去辦事，」他找到錢包，「你需要錢用，先支你兩千元，我十天八天當可回來。」

他把鈔票數給她。

對陌生人不得不如此信任，眞是悲哀。

他搔搔頭皮，「我聞到香味，有什麼好吃的？」

石子說：「我的使用會詳細開帳。」

他已經追到廚房去。

馬利說：「嘩，這家人原來可以吃那麼多。」

石子答：「我逐樣教你做上海菜。」

「他們是上海人？我做了三年還不知道。」

石子準備送何四柱往飛機場。

「不用了，你是保母，不是司機，我叫計程車即可。」

「孩子們都在午睡，我有時間。」

何四柱坐下來，又歎口氣，「我眞累，眞不想動，後園徒有泳池，我一次都沒游過，這樣低的生活質素，眞令人失望。」他捧着頭。

石子愕然，不知說什麼才好。

她一直以爲人一有錢，就可把煩惱減至最低，越有錢，煩惱則越少，如不，那麼辛苦去賺錢幹什麼？

可是今日，何四杜推翻了她一貫想法。

「我要走了。」

語氣一如罪犯赴法場。

石子取過車匙送他出門。

「孩子們開學會有司機接送他們上學放學。」

「有我就可以了。」

「他們學校都在市中心，來回費時，有司機比較方便。」

「西岸也有私立學校。」

「那是他們母親的意思。」

石子立刻噤聲。

「到了香港，又得轉上海赴北京。」

「上海……？」

何四柱看她一眼，「你必有親人在上海吧。」

三年不見，真正掛念。

「有托帶的東西嗎？」
「你那麼忙，不敢勞駕。」
「上海自然有人幫我。」
「下次吧，」石子笑說：「反正你常常來回，下次麻煩你了。」
母親一直希望有雙舒適的便鞋，石子郵寄過一對，還是空郵掛號，花了整整兩百元加幣，卻寄失了，顯然有人從中漁利，石子氣得心痛得以後不敢再寄郵包。
現在好了。
臨上飛機，何四柱說：「孩子們交給你了。」語氣不是不略帶辛酸的。
回到何宅，孩子們仍然熟睡。
石子做一張菜單，與馬利一起研究。
她問馬利：「你工作時間也是朝九晚五嗎？」
「哪裏說得定，有時孩子們生病，四十八小時也沒停下來。」
「你眞好心。」
馬利小小聲說：「他們是富有的可憐孩子，你我都知道大屋大車還抵不過媽媽一個

擁抱。」

石子笑笑，「許多窮孩子也沒有媽媽。」

馬利聳聳肩，「石小姐你說得對。」

「請叫我石子。」

馬利笑了。

她告訴石子，她即將取到加國永久居民身分，還有，她有個白人男朋友住在那那磨島。

石子做了一鍋菜飯，又煎好一條魚才走。

「明早我八點鐘來，你十點鐘接更，那樣你也許不必超時工作。」

「謝謝你石子。」

有了車子方便得多。

區姑娘拍拍石子肩膀，「漂亮女孩子眞有用。」

大師傅問：「你學會轉眼珠子了嗎？」

衆伙計笑，「學會了還來捧餐呢！」

說得也真對。

做到深夜，石子才回地庫的家。

她決定退租，省得一錋是一錋，這三個月且住到何宅去，也試試半山居風味。

第二天她一早起來，買了菜上山去，到了何宅大門，才七點三刻，陽光照到門口那面小小銅牌上，不易居三字清晰可見。

石子掏出門匙開進去，順手關了警鐘，東家對她這麼信任，更要好好的做。

她去樓下看保母宿舍，那一房一廳及衛生間清潔光亮舒服，另有門口出入，左側一間睡房屬於馬利，門口供奉着天主教十字架，她與她都是異鄉人。

石子把行李放下。

園丁已經來了，正剪草莳花，清理泳池工人在更換池水。

這樣十全十美的一個家，也留不住女主人的心，一個人的心可見是多麼奇突。

轉進廚房，看見寫意一個人披着睡袍寂寥地坐着。

「我給你做早點。」

「我並不餓。」

石子看着她，「有心事嗎？」

「沒有。」

石子做了茶自己喝。

可是寫意隨即說：「媽媽今日訂婚。」

石子不出聲，這可怎麼出聲才好？交際天才也難以啓齒。

「我眞不明白，她年紀也不小了，怎麼還會有人同她訂婚。」

石子並不覺得好笑，她仍然一聲不響，靜靜聆聽。

十三歲的何寫意現在需要的，不過是一雙好耳朶。

寫意歎口氣，「她長得美，而且，外公富有。」

那就是了，那就是爲什麼年近四十仍然有人同她訂婚的理由。

像石某人，誰要，現今還有誰會照顧誰一輩子，那是多沉重的一個包袱。

所以非自立不可。

「媽媽扔下我們三個不理了。」

石子不得不開口，「一個母親始終是一個母親。」措辭眞高明，說了等於沒說。

寫意用手托住腮。

這孩子眞是個美少女，連石子都覺得看着她是一種享受，小時候也有很多人稱石子相貌好看，可是石子此刻認爲若同寫意比，可能差好遠。

「不怕，她辦完事，一定抽空來看你們。」

這時，馬利也已起來，把門外中文報紙帶進來。

石子一看頭條，標題是「中國人蛇偷運歐美，每年利潤猶勝販毒」。

石子不禁歎一口氣，某些華人也太有辦法了，總不肯安分守已好好做人。叫黃皮膚的她甚爲汗顏。

每次看到那種標題，好像她也有分參予，只是分不到利潤。

一會兒弟弟妹妹也起來了，擠在廚房吃早點，一個要麥片，另一個要烟肉蛋，果汁麵包牛奶粟米片放滿一桌，石子喝白粥，早晨頓時熱鬧起來。

石子對自在說：「唷，整間屋子只有你一個壯丁，你可照顧我們女流之輩。」

這話自八歲到八十歲的男性均受用，自在有點飄飄然，慷慨地說：「有什麼吩咐盡管說。」

「我們先去選購衣物，然後回來學習中文，你說如何。」

悠然立刻說：「我不學中文。」

石子問：「爲什麼？」

「我英文法文都沒學好，我不要學中文。」

功課也眞的蠻吃重。

寫意也跟着說：「我對中文也眞的沒興趣，媽媽說會講就算了，連她也不大會寫，可是爸不但要我們練好粵語，還進一步叫我們學國語，我學得好辛苦。」

石子沉默，這也是他們心聲。

自在舉手，「我會講國語。」

石子笑，「說來聽聽。」

「餃子、擔擔麵、雲吞。」字圓腔正，可見這個孩子嗜吃。

石子退一步，「每天學半小時，這是你爸定下的規矩，我不敢不從。」

寫意問：「眞的才三十分鐘？」

石子點點頭。

自在笑，「那倒還可以接受。」

悠然說：「從前馬老師一教便三小時。」

「三小時？嘩，太累了。」石子嚇一跳。

寫意看着她，「石子，你知道嗎，你是個好人。」

替三個孩子選購衣物並非易事。

內衣要買得大兩號，那樣從洗衣乾衣機取出來才恰恰合身，女孩子試穿之際自在在門外等，得給他幾本漫畫解悶，悠然還小，需要蹲着服侍，石子忙得一頭汗。

大包小包拎着，他們又要吃冰淇淋。

忽然寫意說她的錢包丟了，又要全體回頭找，半晌，才想起是扔在車廂忘記帶出來。

往停車場走時悠然忽然鬧憋扭，可能是累了，硬是說自在推她，不獲同情，掩臉哭泣。

石子只得把她抱在懷中。

吃力過做女侍。

居然還有比做女侍更辛苦的工作！

幸虧不眞是他們母親，幸虧只是來打工的。

石子頭髮都披下來，汗出如漿。

小悠然喊媽媽。

石子把她摟得緊緊。

自在說：「悠然最慘，她最小，最不明媽媽爲什麼要走。」

寫意瞪弟弟一眼，「你呢，你又明白嗎？」

自在答：「媽媽說她不再愛爸爸，所以要離開這個家。」

「你眞的明白？」寫意追問。

自在用手捧住頭，「不，我不懂。」

寫意頹然，「我更胡塗。」

這時悠然已經沉沉睡去。

石子把她抱進車廂，替她繫好安全帶，叫自在坐妹妹身邊，把妹妹頭靠他肩膀上。

寫意訝異，「石子，你做事眞有條理。」

石子立刻答：「當然，我是大學生。」

讀大學唯一用途可能只是告訴他人大學生的智慧能力不容置疑。

她駕車回何宅。

路上寫意說：「再過兩年多我便可以考駕駛執照，屆時爸爸會買一輛紅色小跑車給我。」

紅色小跑車。

石子微笑，在上海的時候，她在港產流行小說中看過這樣的情節：英俊的男生開了紅色跑車來接女朋友，一起去吃喝玩樂……

石子吁出一口氣。

到了家，悠然也已醒來，嚷著要游泳，換泳衣，發覺全部太小，又得置新的。

石子駭笑，怪不得何先生要拚了老命做，維持這頭家眞非易事，開銷驚人。

自泳池上來，一隻西瓜切開，一下子又報銷掉。

然後，他們才靜下來。

馬利過來笑道：「石子看得出你喜歡孩子。」

石子與她打點晚餐。

馬利說：「一個不吃菜，一個不吃魚，一個不吃豬。」

「太多選擇，大可挑剔。」

馬利感喟：「在我的家鄉——」

石子給接上去：「可不是。」

四目交投，彼此都有瞭解。

結果還是決定煎吉列豬排。

石子說：「若問是什麼，說是鷄腿。」

馬利笑着稱是。

石子走到遊戲室，用普通話說：「過來學中文。」

三個孩子齊齊呻吟。

要命不要命。

華人一聽要學華語，竟會發出這樣痛苦的聲音來。

石子說：「請問你叫什麼名字？」

自在用英語問：「你說什麼？」

「留神聽，你叫什麼名字？」

「呵，名字，我叫何自在。」

石子更正他，他說不好，引起姐妹一陣哄笑。

待三個孩子搞通自己名字，四十五分鐘已經過去。

石子很惘悵，明天一定全部渾忘，她知道，她在唐人街教過中文，眞是天路歷程。

她站起來，「我要下班了。」

小悠然頭一個大吃一驚，「下班？去哪裏？」

「回家呀。」

自在跟着問：「爲什麼要下班？」

「我只在這裏工作，當然要下班。」

寫意問：「你不能不下班？」

石子笑，「只有母親永不下班。」

自在頹然，「我們的母親卻放大假去了。」

石子說：「我會收拾行李盡快搬來此地住。」

「那麼，你可以整天陪住我們？」

「我願意，可惜晚上我還有另外一份兼職。」

寫意問：「豈不是太辛苦了？」

「你得明白，生活本來艱苦。」

寫意問弟弟：「是嗎，自在，你覺得生活艱苦嗎？」

石子嗤一聲笑出來，若非出自孩子之口，會當是諷刺之言。

她借用東家的車子駛下山去，這一程的汽油她不會佔何宅便宜。

她先回家向房東退租，房東並不在乎，溫埠房屋出租的空置率幾乎接近零，不愁找不到租客。

拎着一隻行李箱，從一處流浪到另一處，總是少了一個永久地址。

石子一直想訂閱雜誌報紙，可是一直搬來搬去，不知下一站在何處。

又要搬了。

想起上海的老房子、木樓梯、鐵皮信箱一隻隻釘在樓梯口，電視天線全搭在牆外，

申請一隻電話不曉得要等多久，且貴不可言，手續繁複。

發了一陣子獃，才到福臨門開工。

今天有人包了全廳辦喜宴。

新娘子臉圓圓，十分福相，正敬酒，隆地一聲，冷氣壞了。

老闆娘連忙出來說：「好極了，好極了，這段婚姻從頭到尾都保管熱情，絕無冷場。」

主人家一聽，果然如此，反而大樂，一邊揮汗一邊吃菜。

石子微微笑，出來做人眞不容易，區姑娘如此玲瓏剔透人才，不過是在唐人餐館掌櫃。

石子她？不用提。

區姑娘在後邊打電話找修理人員，喃喃咒罵。

「換了在香港，此刻已經修好了！」

大師傅安撫老闆娘，「也不會神心效率啦，這種事，跳破腳也不管用，慢慢來。」

區姑娘抬起頭，「說是星期一才有人。」

「你若願意破財擋災，我可以幫你找人。」

「喂，明明大厦業主包管理費。」

大師傅聳聳肩攤攤手。

區姑娘忍着肉痛，「多少？」

「出門八十，一小時工資四十。」

石子大奇，「這麼貴？好發財。」

大師傅嘜嘜笑，「是我小舅子，行行出狀元。」

那師傅來了，年輕、長得不錯，檢查過，說空氣調節器要換一塊電腦板。

「你有現貨？」

「這一欵冷器時時壞，很多客人都抱怨過，二百六十五。」

石子在旁忍不住嗤一聲笑出來，這簡直是乘火打劫。

那小伙子聞聲轉過來，在悶熱嘈吵的廚房角落，他看到了一雙亮晶晶的眸子。

接着，他聽見有人叫：「石子，上菜，石斑魚塊都涼了。」

那雙寶石眼的主人連忙搶出去，在他身邊擦過。

他在餐館打烊時把冷器機修好，收了支票，卻沒有即刻離去。

他走到石子身邊坐下，石子抬頭詫異地看着他。

「我叫麥志明。」

石子點點頭，「是陳師傅的內弟，是嗎？」

年輕人有點忸怩，「我，我走了。」取起工具箱。

老陳走過來，「阿明，送石子一程。」

「不用，我自己有車。」

小伙子聳聳肩，靜靜離去。

老闆娘出來看到，「這傢伙，劫完財又想劫色？」

衆人大樂，笑個不停。

老陳豎起大拇指，「好眼光，看中福臨門的花魁。」

石子也來起哄，「什麼，他看中我們區姑娘？癩蝦蟆想吃天鵝肉。」

區姑娘也笑了。

老陳說：「我這小舅子頭子活絡，肯動腦筋，又有一技傍身，人品好，行年廿六，

尙未娶妻，高貴林、北溫，都有房子收租。」

石子收拾衣物下班。

「怎麼，瞧不起他是個藍領？」

石子答：「這句話可折煞我，我有何資格看人？」

「咦，大學生呀。」

石子歎口氣，「明年學費尙不知在什麼地方。」

「叫他付好了。」

石子笑，「那我得付什麼給他？他數口多精。」

「你想想吧。」

區姑娘笑，「那就看有無緣分囉。」

石子推門離去之際，尙聽得老陳道：「你想這冷器機爲何早不壞遲不壞？就是叫他前來與石子相會——」

她已經太累。

根本看不清楚這些男生的眞面目。

有時，實在倦得發慌，真希望一眠不起，可是掙扎着起來，又是一天。
坐在車中，石子忽爾怔怔落淚。
奇怪，今夜與別夜有何不同，怎麼會哭起來？
連忙擦乾眼淚，駕車回何宅。
屋子設計得好，工人另有門口出入，才掏出鎖匙，馬利已經聞聲替她開門。
「還沒睡？」
「正在祈禱。」
「內容如何？」
「保祐我將來嫁個好丈夫。」
石子邊脫鞋邊說：「那麼誠心，不如叫上帝保祐你自己。」
「石子，你不會明白，你長得美，你有前途——」
石子嫣然一笑，「謝謝你，早點休息。」
再美，倒在床上，不過像隻美麗的死豬。
一早，三個孩子決定游泳。

石子堅持他們略吃早餐才下水。

馬利在樓上收拾房間。

石子幫忙打點。

一看，悠然的薄被全濕，「怎麼一會事？」十分狐疑。

馬利小小聲答：「噓，已看過醫生，說濕床不能責怪她，這是心理病，自從她母親離家出走以後就間歇發作。」

石子呆在當地。

「通常都是靜靜換過洗淨，不過床褥上已舖了膠墊，不礙事。」

可憐。

馬利歎口氣，「都會過去的啦，都會長大，都會忘卻。」

石子不語。

「有一任管家為此事大驚小怪，叫何先生開除了。」

石子點點頭，「臨睡前，或者不要喝那麼多水。」

「半夜口渴，她自己會斟水，醫生說，她或許想吸引更多注意。」

「什麼醫生？」石子懷疑。

「兒童心理病醫生。」

石子不安，「小題大做，兒童在七八歲時括約肌偶然失控也不出奇，何用看心理醫生。」

「是何太太意思。」

石子推開窗戶，看到他們三姐弟妹正在打水球，也不算太壞，也有快活的時刻。

馬利在身後問：「最近中國如何？」

「托賴，還算不錯。」

答罷，她笑起來，題目如此大，只能這樣說。

馬利又問：「你擁有永久居留權嗎？」

「有。」

「我也遞了申請表，快了，」馬利的語氣有點安慰，「之後我就可以到快餐店賺取較高工資。」

石子意外，「你會離開這三個孩子？」

馬利無奈，「外頭薪酬高。」

石子再無言語，眞的，憑什麼叫任何人爲感情犧牲。

下午，一行五人去看了場電影。

坐在戲院裏，儘管銀幕上七彩繽紛，石子睡着了。

散場時自在把她推醒。

自在搔搔頭，「你錯過了連場好戲。」

這個說法十分中肯，每天工作十六小時的她必定已錯過了世上一切歌與舞。

散場她建議到海濱小坐，馬利卻想回去做晚飯，她晚上有約會，想早點收工。

石子明白。

稍後，何四柱的電話到了。

同每個孩子講完，又與石子談話。

「怎麼樣，還習慣嗎？」

「每天五點下班，孩子們就得照顧自己，有點不放心。」

何四柱無奈，「全世界保母都有下班的時候。」

石子忽然問：「你幾時回來？」她是替孩子爭取。
「十天八天之後。」
「孩子們望穿秋水。」口氣像老前輩。
「明白。」他掛斷電話。
自在這時偷偷跑過來，「有人找寫意。」
「誰？」
「她的愛人。」
石子一急，連忙跟出去看，只見寫意與一男孩子站着聊天，那男孩肯定還未夠十六歲，因為他的交通工具只是一部腳踏車。
石子揚聲說：「寫意，可要請朋友進來喝杯檸檬水？」
寫意抬起頭，大眼睛裏充滿感激之情。
小悠然在一旁輕輕說：「爸一向不讓仲那進來。」
「為什麼？。」
「說寫意還小，不適合有男朋友。」

石子卻伸出手去歡迎那男孩，「你好，仲那，我是保母。」

那金髮兒十分有禮，「你好，女士。」

「我們有新鮮藍莓餅，請來品嚐。」

石子想到她少年時，也有欲與她親近的男孩子，可惜，統叫母親給趕走了。

其實她不過想問問功課聊聊天，是大人視男女關係爲洪水猛獸。

石子把寫意與仲那安排在會客室。

自在去張望，被石子叫回來。

一小時後，石子去敲門，「我要下班了，仲那，與你一起走好嗎。」

仲那很滿足，無異議。

石子叮囑三姐弟小心門戶。

在福臨門不放心又撥過兩次電話回何宅。

區姑娘過來，「你的朋友孔碧玉找過你。」

「沒有要緊事吧？」

「挺關心你，房東說你搬走，你又沒給她留新地址，我同她說你很好，白天擔任家

教。」

「是，每天有三十分鐘我同何家三個孩子講普通話。」

「有用嗎？」

「潛移默化，希望慢慢聽得懂。」

「將來洋人都會講中文時，他們才後悔呢。」

石子頷首，「我聽說有洋人律師把兒子送到台北學國語。」

「這是新趨勢，他們也很知道錢在何處了。」

石子唯唯諾諾。

「你的朋友說，有人找你。」

石子訝異，「誰？」

「有一雙難民身分夫婦——」

石子立刻緊皺眉頭。

區姑娘拍拍石子肩膀，「說什麼都是娘家的人，你說是不是？」

石子不語。

是，老闆娘有智慧，都是自己人，總不能大哥富了，就獲青睞，二哥窮　，就給他白眼，也應該讓他有個機會坐下來慢慢談談。

區姑娘說：「躭會兒他們會到飯店來。」

「讓我來請客。」

「由我請。」區姑娘笑。

這個女子海派、大方、是眞可愛。

石子自慚形穢。

稍後，孔碧玉介紹的那對夫婦到了。

一看就知道是碧玉不耐煩敷衍才調撥到福臨門來的。

兩個人都很斯文，那位先生一見石子就說：「我叫黎德提，這是我妻子朱珠。」

石子連忙斟茶，「兩位好。」

黎氏夫婦見石子只是女侍身分，不禁黯然。

倒是石子掉過頭來勸他們，「有什麼事，大家商量。」

黎德提索性開門見山，「我倆申請難民身分被拒。」

石子問：「有無上訴？」

「有，按司法程序提出上訴，兩個月前接到代表律師通知，申請再度被拒，將被遞解出境。」

石子歎口氣，「你們幾時抵境？」

「九二年初，你呢，你運氣怎地好，聽說你已獲居民權，孔小姐建議找你談談，也許你有熟人。」

石子搖頭，「正如你說，我純屬幸運，我申請得早，我已遞公民申請。」

黎先生露出艷羨的目光來。

區姑娘過來說：「點幾個菜，吃飽了才說話。」

黎先生擠出一絲笑，「幸虧倒處有朋友幫忙。」

黎太太朱珠說：「我們抵加之後，兩夫妻日夜工作，白天當營業員，晚上做侍應，一年向政府繳稅七千多元……」聲音低下去。

黎先生說：「現在政府標準是留加需滿三年，我倆提心吊膽，承受着極大精神壓力。」

石子實在無能爲力，只得維持緘默。

黎先生見菜上來了，有螃蟹有龍蝦，老實不客氣先吃起來。

石子問：「兩位現在住什麼地方？」

「親戚家中。」

「兩位有好親戚。」

「是，難民組織將於下周一晚上召開會議，會晤移民部官員，石小姐，你可願來與我們打氣？」

石子坦然無懼，「我從來不是難民，八九年我以學生身分來加，九一年申請居民成功。」

黎太太瞪着她說：「亦即是說，你是上了岸的人。」

石子清脆地答：「是。」

區姑娘坐下來打圓場，「黎太太，在岸上的人才可以幫人，你說是不是？」

黎先生給妻子施一個眼色，「石小姐請我們吃晚飯即是好意。」

石子不再言語，「我去招呼其他人客。」

一邊還聽黎太太說：「難民申請批審過程時間長短有異，部分申請人因陪審員不能出庭一拖再拖，以申請難民後被拒三年作標準並不公平。」

事不關己，石子已經不再勞心。

她根本沒有把難民非難民準則聽進去，她只覺得難過，這裏是別人的國家，獲得收容，是情，不獲收容，是理，盡量合法爭取，應該，但……

也許黎太太說得對，她上了岸，就不理他人水深火熱，甚至怕人家拖她落水。

石子也為自己的涼薄震驚。

她躲在廚房，不敢出去。

半晌，區姑娘叫她：「石子，快來招呼人客。」

石子拭去眼角眼淚。

區姑娘溫和地說：「已經走了。」

石子點點頭。

「做了一個雜錦炒飯叫他們打包拎走。」

「謝謝你。」

「關你什麼事，同是天涯淪落人，大幫忙小幫忙都應該。」

石子答：「我就什麼都沒走。」

「聽他們訴苦已是功德。」

「希望政府有特赦行動。」

「我相信會有，這是一個寬容的政府。」

石子斟一杯茶喝，直到收工，沒再說話。

車子駛上何宅，一路上看到勃拉港對岸的燦爛燈火，美不勝收，獅門橋上裝飾的燈泡遠看如一串珍珠項鍊。

何宅叫不易居。

今夜，石子對這個名字另外有了新感想，這地方確是不易居。

許多人都住不下來。

馬利來替她開門。

「你不必等我門。」

「反正沒那麼早睡。」

「孩子們如何？」

「我一早回來，實在不放心他們三個。」

石子頷首，「我也是。」

馬利笑，「他們父母倒是放得下心。」

「大概是身不由己。」

「今日傍晚傳真機送來這個。」

石子接過一看，是張中文剪報。

「名媛曹不易訂婚儀式熱鬧別致，著名銀行家曹仕卓之女曹不易於今日——」

石子抬起頭來，怪不得叫不易居。

原來前女主人的芳名便叫曹不易。

照片雖然不算清晰，也看得出曹女士長得不賴。

馬利問：「中文說些什麼？」

「不重要，孩子們看了怎麼想？」

「很不高興，尤其是寫意與悠然兩個女孩子。」

石子歎口氣，「難怪，女孩子比較敏感。」

馬利問：「你反對此事嗎？」

「我不是當事人，我不知冷暖，無可置評。」

石子再看報道，文中提及訂婚指環上的鑽石重七卡拉。

石子大約知道那是一顆很大的寶石。

可是，難道孩子們不比寶石更貴重嘛。

原先已經十分富貴，吃用不愁，何必還出盡百寶錦上添花。

石子呼出一口氣。

不知是哪個小說家說的，每扇門之後，都有一個故事，這是眞的。

第二天一早寫意來敲石子房門。

「石子，醒醒，悠然嘔吐。」

石子跳起床一看鐘，才淸晨六時。

也顧不得了，立刻與馬利一起到二樓去查個究竟。

只見悠然縮成一團，吐出穢物在睡衣上及床褥上。

石子抱起她坐到沙發替她更衣，馬利速速整理床鋪。

遇上這種情況，一個人還眞應付不了。

石子立刻替悠然量溫度，又給她喝水。

「是情緒緊張，悠然，你擔心什麼？」

隔了很久，悠然才說：「媽媽不要我了。」

寫意無奈，「她不接受此事。」

指的是曹女士訂婚一事。

石子連忙解說：「不會不會，相信我，媽媽很快會有消息。」

「她每天都有電話來。」

「那不是很好？」

「只能怱怱講兩句。」

「她一定很忙。」

石子當機立斷，怱怱更衣，與悠然到兒童醫院去看門診。

馬利叫石子帶着手提電話，方便聯絡。

經過診斷，悠然無恙。

駕車返家才七點多，服了葯悠然已經入睡。

石子有點懊惱，用普通話說：「光是應付生活已經來不及，不能教你們中文功課了。」

自在十分歡喜，「我們會明白。」

他是巴不得不用學。

石子啼笑皆非，「可是你聽得懂中文。」

自在摸着後腦勺，「是嗎。」

「我自此光講中文好了。」

寫意十分厭倦，「我想回香港找母親。」

自在對姐姐說：「她忙訂婚。」

寫意有點生氣，「我們肯定也有權用她的時間。」

「孩子們孩子們，冷靜一點。」

「我要與爸面談。」

石子勸：「他工作極忙，請勿騷擾他。」

寫意怒說：「忙忙忙，那麼忙，何必把我們生下來？我們還小，我們需要家長在身邊。」

石子正教馬利燉牛乳蛋給悠然吃，一聽此言，嚇一大跳。

「這……」石子不知怎麼勸才好。

寫意說：「我這就去打電話。」

「待天亮了再說。」

「不，他是父親，他活該半夜給子女吵醒。」

可是電話撥到香港，半晌，才有一位女士來接聽，惺忪地答：「何四柱到上海去了，不在此地。」

寫意充滿狐疑，「你是誰？」

那位女士也生氣，「你又是誰？」

寫意直認，「我是何寫意。」

那邊驚訝萬分，「寫意，我是祖母，你們怎麼了？沒事吧。」

寫意還得掉過頭來安慰老人家，「對不起，吵醒你了，我冒失忘記算好時差。」

「你爸沒與你們聯絡？」

「有有有，只是忽然想聽他的聲音。」

「寫意，我累了。」

「是是是，祖母。」

掛上電話，氣也消了只會得坐着苦笑。

石子拍拍她的肩膀。

世上原本有許多事都需要自身承擔，從小學習大有益處。

悠然醒了，寫意去餵妹妹吃燉甜蛋。

自在一個人在後園練投籃，百發百中。

一個小孩，一個黑影，一隻球，看上去十分寂寞。

石子換上球鞋，打橫竄出搶去他的球，一扔，進籃，自在雙目發光，沒想到保母會這一手，立刻上前，身子一拐一擰，球又到他的手。

二人一言不發，在空地上較量起來。

馬利洗完衣物，坐在一旁看，不時鼓掌。

三十分鐘過去，石子笑着舉起雙手投降，自在高興感動得過來擁抱石子。

馬利大聲說：「吃西瓜。」

大家捧着西瓜狂吃。

淋浴後自在乖乖坐着學中文。

他也明白，你總得拿一些什麼去換你要的什麼，這位保母，算是公正嚴明，他不會吃虧。

石子稍後同馬利說：「私家泳池私家球場私家花園，都沒有機會同街外人接觸。」

馬利答：「可不是。」

「他們母親通常帶他們參予些什麼活動？」

「極有限的活動，何太太從不流汗，亦不高聲說話。」

「啊。」

流汗確是麻煩，衣服需從頭到腳換，人也得從頭到腳洗一遍。

住在何家，用熱水不必付錢，洗衣服也不用到地庫付角子，十分方便。

孩子吃什麼好東西，她也吃什麼，享福了。

中午，石子接到碧玉的電話。

分手後似已十年，石子微笑問：「生活還好嗎？」語氣中淒酸之意濾都濾不掉。

「我已輟舞。」

「好！」

「十分想念你。」

「我也是。」

碧玉感喟，「數年前我同你懷着希望出來——」

石子接上去，「此刻只要能解決生活問題——」

碧玉道：「已經比很多人好，你見過那對姓黎的夫婦。」

「是，很不幸。」

「遲一步而已，預計四千人中約有一千人將被逐出國境。」

「碧玉，我也有想過，真躭不下來，回去也算了。」

「可是，親友都以爲我們在這邊發了財掘到金礦。」

石子說：「也別去管這些了。」

「怎麼不管，熱嘲冷諷，怎麼受得了，你以爲像加國，各人管各人的事，誰要是講是非，會被人看不起，上海擠着千多萬人，天天準碰上百來個熟人，『咦，你怎麼回來了』，『喂，你不走了』，如此噓暖問寒，確難消受，況且，回去也沒有路走。」

「走投無路是眞的。」

「連我爸都在學做生意了。」

石子吃驚，「他一輩子拿手術刀，做何種生意？」

「賣健康食品，有一隻茶葉，吃了會減脂肪，又有一隻奶粉，吃了會增加體重。」

「他有本錢？」

「我給他滙去的。」

石子頷首笑道：「碧玉，你幾時衣錦還鄉？」

「儲夠錢派街坊時自然會回去。」

「我們一起去！」

「好。」

倒底年輕，兩個女孩子咕咕咕笑起來。

半晌石子問：「那人對你如何？」

碧玉不願回答，轉到別的話題上去。

那人身分敏感，大概吩咐過女友，不要在閑談時說起他。

「可以出來見個面嗎？」

碧玉有點無奈，「我不是時時有空。」

「時間允許，撥個電話來。」

「石子，你自己當心。」

石子惻然，眞的，天與地那麼大，她們所有的，也不過是她們自己罷了。

電話嗒一聲掛斷。

過了整整兩個星期，何四柱都沒有出現。

石子已與三個孩子培養出感情來，她成天說着普通話，現在連馬利都會中文食物名詞：「晚上吃麵麵，還是吃餃子？」

何四柱撥電話來，孩子們只是例行公事輪流去聊幾句，絲毫不見熱情，可是芝麻綠

豆之事，統統向石子報告。

一日中午，石子帶孩子們到快餐店吃薯條，小悠然走得急，一跸，汽水倒瀉在地上。

石子立刻說：「不要緊，慢慢來。」

伙計即時前來拖地。

可是另一角已經有洋童齊齊笑，「——看那中國女孩——」

石子不知怎地轉過頭去，和顏悅色對那幾個孩子說：「她同你一樣，是加拿大人，不錯她來自中國，你來自何處？嗯，紅頭髮，是愛爾蘭嗎，現在你們都是加國公民，明白嗎，你老師與你母親沒教你嗎？」

那幾個孩子愣住，連忙低頭吃漢堡。

寫意第一個雙目露出欽佩的眼光來。

自在輕輕說：「你站起來爲我們。」

石子低頭說：「我的涵養工夫不大好，專門會計較。」

悠然說：「謝謝你石子謝謝你。」

自在進一步要求，「班上的約翰與登堡老會找我麻煩。」

石子舉起雙臂，「我不是打手。」

「或者你可以教訓他。」

「我可以與你老師談談。」

「不，我贊成用私刑解決。」

「呵，不不不，我一向奉公守法。」

他們一起笑起來。

「石子，你值一百萬。」

「是嗎，同你爸說去，他只付我一千八。」

當天晚上自福臨門下班，有人在門口等她。

那後生見到她，微笑道：「還記得我嗎？」

石子也笑笑，「你是大師傅的妻弟麥志明。」

麥志明放下一顆心，「是，我想請你喝杯咖啡。」

「已經很晚了，」石子坦白地說：「我一天打兩份工，最多只得五六小時睡眠，家

教的孩子們大了，又不用睡午覺，我眞累得慌。」
「我明白。」
「這種時候，根本不想約會。」
「我可以幫你嗎？」
石子說得更淺白，「我若願無端接受他人幫忙，也不用熬到今日了。」
麥志明很有耐心，「那麼，我送你回山，大家聊聊。」
「我開車，你又怎麼下來呢？」
「我叫計程車好了。」
「那多麼浪費。」
「不要緊。」
石子深深歎口氣，看樣子，他有一定誠意。
在車上，石子問他：「你是土生兒吧？」
「不，我九歲來，只不過沒學好中文。」
「那你不會瞭解我們這些中國人。」

「到了這個大熔爐，也無所謂來自何處了。」

麥志明這話有胸襟，石子對他增加一分好感。

她又歎一口氣。

「緣何長嗟短歎？」

「碰上自己人，把握機會，吁一口氣。」

「呵，你儘管太息吧。」

「你看到月亮沒有？雖是同一個衛星，自家鄉看出去，又自不同。」

「那又爲何離開呢？」

「逼不得已呀，誰不想追求更好的精神與物質生活呢。」

「那麼，必需付出代價。」

「喂，抱怨幾句也總可以吧。」

麥志明卻說：「一句起三句止，多了不好，人不宜自憐。」

石子靜下來，微微笑，「你這人，頂有意思。」

麥志明笑，「你以爲老粗的嘴巴長不出象牙吧。」

「你太多心了。」

「我也知道長得美的女孩子心頭高。」

石子抗議：「我從不自覺長得美。」

「我相信你。」

「阿麥，我且先送你回家。」

麥志明看着她，「我們可是朋友？」

石子笑，「以後修冷氣，打對折。」

麥志明也笑。

那晚，正訝異怎麼滿屋燈都開亮，替她開門的是何四柱。

孩子們正拆看他帶來的禮物。

石子高興地說：「何先生你回來了。」

何四柱點點頭，臉上有揮不盡的倦意。

石子本想禮貌上頭寒暄數句，何四柱卻說：「你也夠累的了，只有勞累的人才會同情勞累的人，我們明天再談。」

石子頷首，轉頭回宿舍。

這條街到了晚上簡直堪稱靜寂無聲，石子腦中已無詩情畫意，只覺是睡覺的好地方。

每朝鬧鐘響的時候，內心交戰：一日不起來也不要緊吧，就這一天，然後捱打也值得，只一天……一方面又告訴自己，應該慶幸一人可以霸兩份工作，兩份收入，辛苦也值得。

終於起來了，且精神奕奕。

石子歎口氣。

那時，在上海，有人稱讚石子的母親漂亮，石子聽得母親笑答：「不不不，已經老了，我漂亮的時候，白天工作，晚上開會，通宵寫報告，第二天還精神百倍。」

石子的父母都是工程師。

是，都是讀書人，優秀的知識分子，就因爲那樣，一有運動，必遭劫難。

石子天生有讀書因子遺傳，吸收知識如海綿，又幾乎有過目不忘的本領，參考書上資料滾瓜爛熟，談笑用兵，揮洒自如，在學校裏，她是老師寵兒。

起了床，才發覺是星期天，保母休息日。

不過，在過去三個星期日，她都陪着孩子們。

梳洗完畢到樓上一看，馬利正準備早餐。

這個菲律賓人十分有人情味，不像她一些行家，洗碗洗到一半，看着鐘，時間一到，立刻扔下一切，下班去也。

悠然第一個起床。

「爸爸來了。」聲音很安慰。

「是，多好。」

「可是過幾天他又要走了。」

「那是必定的，有聚必有散。」

「他能不能一直陪在我們身邊？」

「或者你可以問問他。」

「不，石子，你替我們問。」

「悠然，你家裏的事，保母不宜插手。」

何四柱下樓來，「什麼事？」

馬利連忙遞上一杯香噴噴的黑咖啡。

「謝謝你，馬利，這就救了我的賤命。」

石子與馬利均駭笑，這個人要求那麼低。

悠然坐在父親懷裏吃手指。

石子不禁問：「何先生你幹的是哪一行？」

「我是個運程欠佳的建築師。」

石子嗤一聲笑出來，「這樣有本事還抱怨？」

「有運氣的話早就退休了，還來回來回那樣跑？」

一會兒寫意與自在也下來了。

何四柱說：「一起去吃點心。」

「不不不，」寫意第一個搖手，「太吵太擠，我又怕吃牛的胃，鷄的腳，鴨的舌。」

「你們想到什麼地方去？」

「就在家好了。」

「我知道，我們到舊金山去旅行。」

寫意忽然說：「爸，我發覺你怕這個家。」

這眞是個驚人的發現。

何四柱搔着頭皮，「你說得對，我已經習慣倒處亂跑，睡得最好是在飛機上，坐在家中沙發眞覺空虛，這樣吧，我們乘船遊阿拉斯加，石子，馬利，你們也去。」

石子立刻說：「我不行，晚上還要上班。」

何四柱見乏人響應，頹然喝咖啡。

寫意說：「享受悠閑吧，爸。」

可是何四柱早已經忘記什麼叫悠閑。

自在說：「爸，你可以送我去醫院探同學。」

「他怎麼了？」

「他患白血病，需接受電療。」

「好，我們買了禮物去探訪他。」

何四柱到書房去寫支票給石子及馬利。

「數目不對。」

「呵那是加班費。」

石子點點頭，他倒是明白人。

「石子，你一定覺得這個家不甚像一個家吧。」

石子溫和地答：「世上本無十全十美的家，如今溫埠許多新移民家庭都如此。」

「我這個家連女主人都沒有。」

石子不予置評。

何四柱問女兒：「你們二人有什麼節目？」

悠然一定是跟着爸爸，寫意表情有點着急，她沒想到父親會來，一定是約了仲那。

石子說：「寫意與同學有節目。」

何四柱即刻問：「是男是女？」

石子忍不住別轉頭笑。

這樣時髦能幹的精英分子，一旦做了父親，居然也婆媽起來。

何四柱咳嗽一聲，半晌，才說：「把朋友也叫來，一起行動吧。」

寫意說：「車子哪裏坐得下。」

「我有一輛吉甫車，足可坐七人。」

石子打圓場，「讓寫意自由活動吧，不然她就不寫意了。」

一起買了禮物去探望自在的小同學，在醫院逗留半晌，石子慶幸有健康即擁有世上最大財富，然後到遊客區逛馬路，在咖啡座吃冰淇淋。

碰到了同學。

洋女生悄悄問石子：「那是你男友？」

「不，是我的東家。」

「管他什麼身分，」洋女笑，「這麼英俊的男生，抓在手裏再說。」

石子十分震驚，她想都沒想過有這種可能性，「他有三個孩子。」

「又怎麼樣？我肯定他也有護照、金錢、安全感。」

石子抬起頭，看着何四柱，仍然覺得沒有可能。

晚上，在福臨門，老闆娘過來閑閑搭訕。

「星期天也不休假帶孩子？」

石子跳起來，「你也看到了？」不可思議。

「誰叫你們長得那麼觸目。」

「是，他們一家相貌奇佳。」

區姑娘笑笑，「那何某，他不適合你。」

石子擺擺手，「你誤會了，我從未有非份之想。」

「石子，香港人心思複雜，面數太多，不是理想對象。」

「多謝指教。」

「千萬不要無辜辜跑去做人家生活中的揷曲。」

「這我明白。」

「那個麥志明好，有一技傍身，可享安樂茶飯，一夫一妻，生活單純，必定愉快。」

「是區姑娘。」

「你切莫忠言逆耳，這番話，我也不是逢人必說。」

石子唯唯諾諾。

自然，區姑娘並非多嘴之人。

她也不一定是非常喜歡麥志明，只不過認爲麥志明比較單純，大概會適合石子。

石子對這番好意心領。

她對未來對象的職業並無憧憬，但不希望他們是藍領，他們的手指甲縫子裏總有刷不掉的黑邊。

就連石子自己也是，每晚都需用一隻小刷子把手指仔細刷一遍，並且把指甲留得很短很短。

不知怎地，區姑娘掃了她的興，整晚她都不出聲。

一早，自在同石子說：「你見過我那患病的朋友摩根。」

「他怎麼樣？」

「他說電療後頭髮會掉光。」

「是，但痊癒後頭髮會長回來。」

「肯定？」

「有許多先例，這是事實。」

「他一定會好嗎？」

石子不敢回答，「醫生怎麼說？」

「醫生與你一般模棱兩可。」

石子不出聲。

「摩根是我的朋友，我初來加拿大讀一年級，不會講英語，老師與同學都不大理我，只有摩根陪我說話。」

「他眞友愛。」

「我認識他已經四年。」

「你有什麼主張？」

「假使他掉光頭髮，我想剃光頭陪他。」

什麼？石子瞪大雙眼。

自在低下頭，「我的頭髮很快會長回來，希望他的也會。」

石子感動了，鼻子有點發酸，沒想到黃口小兒也這樣講義氣。

「學校會準你剃頭嗎？」

「我會與老師說明。」

「我支持你，自在。」

自在高興起來，「眞的，石子？那麼，在我爸媽面前，你可會爲我講話？」

石子搔頭皮，「你爸處沒問題，可是，我從沒見過你母親……」

自在頹然，「她？她根本不會再來了。」

石子見這孩子如此難過，一時情急便說：「好，包在我身上。」

「謝謝你石子，你眞是好人，比我們從前的保母好多了。」

「各人有各人的優點。」

「不，我們一年換好幾個保母。」

「說不定我也只能做一個暑假。」

自在吃驚，「你要往何處？」

老實說，石子也不知道，看來她已注定還需飄泊一段日子，等畢了業，找到工作，第一件事便是成家，成立永久地址。

她不欲向孩子多說，便答：「我還在讀大學，暑假過後，我白天要回到學校去。」

自在大吃一驚，「這只是你的暑期工？」

石子點點頭。

自在愣了一會兒，一言不發，轉身跑回樓上。

石子在身後叫都叫不住。

追到樓梯口，看見悠然，她叫石子，「姐姐哭了一夜。」

正是一波未平一波又起。

「爲什麼？」

「她的愛人好像出了問題。」

石子既好氣又好笑，「不是愛人，是朋友。」

悠然說下去：「對，她的朋友另外有了朋友。」

好討厭的傢伙。

石子推門進去。

是哭過了，不過沒有小悠然形容得那麼厲害。

石子閑閑說：「等你一起去科學世界玩呢。」

「我才不要去那三歲孩兒耍樂的地方。」

石子忍不住問：「他怎麼了，你怎麼了？」

寫意眼淚泉湧，「我們不再講話，我們已經告一段落。」

石子微笑，語氣完全像大人一樣，七情六欲式式俱備，事實上她連養活自己一天也做不到，少年人！

「如果不妨，大可告訴我發生什麼事。」

這時，悠然示意石子走到窗前。

石子輕輕掀開窗簾往園子裏看去，只見那叫仲那的男孩坐在腳踏車旁等候。

石子感動了，這就是初戀嗎，六十年後，當寫意白髮蕭蕭，她還會記得這個七月早晨，他在玫瑰花圃旁等她的消息嗎？

此刻園子裏吐露鮮花的芬芳，那男孩子大抵也不會忘記這麼一天吧，將來，在他最苦悶的日子裏，他會想起今天，因此他不致墮落。

而石子她便是證人。

一時石子說不出話來。

寫意發覺室內有異常的沉默，她自動走到窗前，也看到了仲那。

石子給寫意一個眼色，寫意連忙套上衣服，奔下樓去。

適才說的「不再講話……告一段落」，完全一筆勾銷。

石子正在替這小兩口子高興，忽然聽得身後冷冷一聲：「石子，我有話同你說。」

石子一回頭，看到何四柱站在身後。

「石子，那外國小子是誰？」

「寫意的朋友。」

「我家女兒不到廿一歲不准與異性來往！」

石子反問：「廿一？」

「好，十九。」

「十九？」

「好好好，十七，這是我的底線。」

「十六歲都可以拿駕駛執照了，她到哪裏去，你根本管不着。」

何四柱指着石子，氣忿地說：「我知道你說的都是事實，但是——」

石子攤攤手，「你那麼少回家，一到家就干涉他們生活上自由，你想孩子們會怎麼想？」

何四柱驟然靜下來。

「別擔心，我信任寫意，我見過那洋童仲那，他很有禮貌，住這附近，又是同學，有稽可查，不見得是下流人，你可千萬別用鐵腕政策，寫意這種年紀，心靈十分脆弱，一有風吹草動，立刻走向不歸路。」

何四柱頹然坐下。

「我知道一個父親的焦慮。」

「可是你不同情我。」

「但那是做父親必需付出的代價。」

何四柱用手捧着頭，過一刻才說：「那外國男孩叫什麼？」

石子勸：「人人都是加國居民，誰也不是外國人。」

「請他進來喝杯汽水。」

「這就是了。」

何四柱歎口氣，「石子你深明大義。」

石子笑笑，「那還不容易，我又不是寫意的父母。」

何四柱一愣，繼而苦笑。

石子同悠然說：「去請仲那進來。」

悠然忽然說：「我也有男朋友。」

「是嗎，」石子作訝異狀，「那你也可以請他來吃下午茶。」

「下午茶恐怕不行。」

「爲什麼？」

「他媽媽限他打中覺。」

「去去去。」

寫意與仲那已散步到紫藤架下，陽光在他們頭髮上映出一道金邊，此情此景，美得叫人心酸。

仲那與寫意相信經已言歸於好。

石子找到孵在飛機模型堆裏的自在。

自在抬起頭來，繼續話題：「石子，認識過你，已經很高興。」十歲的他忽然看開了。

「是，人應該隨緣。」

「隨緣？」

「對，即是凡事不要勉強。」

自在大喜，「那，我就不必勉強自己去做功課了。」

石子啼笑皆非。

她說：「我也會不捨得你們。」

自在掉過頭來安慰她：「你可時時來探訪我們。」

「我希望可以。」

「今天炒個粗麵給我吃吧。」

「沒什麼困難。」

不是自己的孩子，凡事客觀理智，實事求是，不知多容易。

何四柱召石子到書房。

「你幾時開學？」

「九月十二。」

「屆時要給我們推荐一個好的全職保母。」

「到時才算吧。」

「你呢，你可會考慮留下來？」

「我要讀書，焉可分神。」

「你確信書中自有黃金屋吧。」

石子微笑，「比那更多，書中有我的香格利拉。」

「我妒羨你的純眞。」

石子聽出他的口氣並無譏諷之意，故但笑不語。

「我祝你成功。」

石子仍然微笑。

「何家會支持你。」看樣子並非空泛的應允。

石子動容，「謝謝你們。」

何四柱說：「在你身上，我看到當年自己出來闖的歲月。」他歎口氣。

石子揚起一條眉毛，他闖世界？他不是富家公子嗎。

「所以我一直沒有安全感，因此永遠不曉得一家四口究竟要幾許節蓄才足夠生活，是以埋頭工作，不敢離開崗位，我知道自己失去許多，但也不敢抱怨。」

他一貫如此直爽，石子認為難得之至。

聽了這話，石子十分警惕，噫，莫要步此人後塵才好，否則除卻金錢之外一無所有。

隨即又訕笑自己，石某有什麼資格學何四柱？這種不自量力的焦慮簡直多餘。

何四柱說下去：「到了今日，不得不承認生活失敗，更加勤力工作，只有在死做的時候，才覺得自己有一點價值。」

石子溫婉地說：「我覺得你是不折不扣的成功人士，閱報章雜誌中成功人士訪問，還沒有你一半成績。」

何四柱露出一絲笑，「真的嗎。」

石子開解他：「婚姻失敗是很普通的事，世上沒有幾段幸福婚姻，好幾次我想，呀，這眞是一對璧人，轉瞬間已經離異。」

何四柱感喟，「委屈了孩子們。」

石子又笑，「不算太差了，什麼都有。」

「感情上——」

「父母也十分關懷他們，只不過沒有如影附形而已，孩子們在這方面至貪婪，巴不得做父母的貼身膏葯，直至他們長大，另有出路，那才把父母一腳踢開。」

何四柱訝異，「石子，你的話眞有意思。」

「是，我是比較多話。」

「這樣吧，石子，趁這段時間，幫我物色一個保母作爲你的承繼人。」

「喔唷。」

「過兩日我又要動身，你有什麼叫我帶往上海，快去採購吧。」

「是是是。」

想到母親，心裏一陣溫馨。

上海什麼都有，可是上等貨色貴不可言，石子買了兩雙鞋子一件大衣，不好意思托帶太多，終於又加了兩瓶面霜一支口紅。

眞幸運，可以找到何四柱這樣合理的東家。

假如一天有四十八小時就好，可以做完保母再去唸書，然後到福臨門捧盤子。

不不不，那也太慘了，一天做廿四小時已夠，不該作非份之想。

石子訪問三個孩子，想知道他們希望什麼樣的保母。

寫意說：「莫名其妙，我可不需要任何保母。」

自在說：「肯定要年輕的中國人，老太太不好，上次有位胖老太太，坐着不動，要什麼儘叫我們拿到她跟前侍候她。」

石子駭笑，有這樣的事。

悠然說：「太年輕也不妥，一天到晚打電話，記得珍珠嗎，同她說話，她都不掛電話，只按住話筒，與我們說幾句，早上又起不來送上學。」

石子不能置信。

自在說：「石子已算是最好的一個。」

「可惜硬是要我們學中文。」

「多學一樣工夫傍身，受用不盡。」

此言一出，不禁失笑，他們三人自有父親的產業傍身，勝過盔甲刀劍。

「可是那麼難學，又看不出有什麼用處。」

「爲什麼沒聽見你們抱怨英文？」

寫意笑不可仰，「不學英文，難道做文盲？」

都有道理。

「那又爲什麼心甘情願學法語？」

「法文美麗動聽，又夠瀟洒。」

「但你們是華裔。」

寫意問：「爲什麼華裔人士有那麼多責任？」

電話鈴響，石子去聽，「何宅。」

「有無一位石子女士？」聲音陌生。

「我正是。」

「這裏是加拿大皇家騎警，你可認識一位孔碧玉？」

「她是我朋友。」

「那請你速來本那比醫院。」

「發生何事？」

「她遭人毆打昏迷，我們在她手袋找到你的姓名住址。」

「我馬上來。」

石子耳畔嗡嗡作響，一顆心似要自喉頭躍出來。

她吩咐馬利幾句，立刻趕出門。

一路上超速駕駛，經公路直抵醫院。

搶進病房，發覺碧玉已經甦醒，女警正在錄口供。

石子聽見碧玉微弱斷續地說：「我不小心蹿跤，與人無尤。」

警察說：「女士，你不幫我們，我們無法幫你。」

石子走近，看到碧玉的臉腫如豬頭，眼角嘴角都有縫針痕跡，那人心狠手辣，分明要置她於死地。

石子全身的血嘩一聲衝到腦袋，漲紅了面孔，激憤莫名，她握緊拳頭。

女警不得要領，見到石子，轉向石子問話。

石子說出已有一個月沒有見過孔碧玉，「發生什麼事？」

「孔女士『蹿跤』受傷，欲赴醫院療傷，但支持不住，在公寓大厦電梯大堂昏厥，由司閽報警。」

石子不響，握緊碧玉的手。

「兩位女士，最好是與警方合作。」

女警離去。

石子低聲問：「誰，誰做的？」

碧玉閉上雙目。

「說出來，不然還有下一次。」

「給我一支烟。」

「醫院裏不准吸烟。」

「那麼酒，給我一口酒。」

「碧玉，倒底是誰？」

碧玉不語。

「是那個人嗎？」

「別亂講，他人在日本名古屋。」

「碧玉，有獨身女失踪，一年後頭骨被人棄置在馬路上，這個城市也有它的陰暗面，讓我幫你。」

碧玉忽然微弱地笑了，「你幫我，石子，你泥菩薩過江，如何幫我？」

石子怔住，忽然之間，多年委屈積聚到心頭，她忍無可忍緩緩流下熱淚，她伏在碧玉身邊，哭出聲來。

碧玉輕輕說：「我會好的，我沒事，只是，生活越來越沉重，我都不想應付了。」

石子抹乾淚水，仍想鼓勵碧玉幾句。

「回去吧，我過兩日便可出院。」

「我知道是誰。」

「千萬不要惹事。」

「碧玉，走出來，脫離他的魔掌。」

碧玉疲乏地牽牽嘴角，「到何處去？福臨門、大上海，抑或是麥當勞家鄉鷄，還是與你一樣，替人做保母帶小孩打理家務？」

「我們會出頭的，碧玉，我們會出頭的。」

「我疲倦了，石子。」

「我何嘗不是，但是我不能功虧一簣。」

碧玉又笑，「管它呢，今朝有酒今朝醉。」

「他會殺死你。」

「不會的，殺人償命，他懂計算，還有誰的性命比我的賤。」

「碧玉，現在你氣餒，醒了你會好的。」

她別轉面孔，像是累到極點。

石子只得告辭。

女警在病房門口等她，「孔女士可有說什麼？」

石子搖頭。

「你可猜到是什麼人？」

「我亦不知。」

女警無奈，她已習慣這種困難。

石子離開醫院，一看時間已到，只得直赴福臨門開工。

就是那日，她叫開水熨到腳背，痛入心扉。

回家脫了襪子一看，只見一串水泡，破了，一個個血紅的小洞，她敷了葯，忍痛入睡。

半夜醒來，只覺得自己似一個打地道希望出生天的囚徒，在黑暗地底挖掘，不知方向可走確，可會有一日通到地面見到光明。

地道長且窄，悶又熱，她站不直，透不過氣，就快支持不住了。

第二天一早醒來，掀開膠布視察傷口，信不信由你，鮮粉紅的新肉已經填滿瘡疤，生命力竟這麼強！石子惆悵，看情形那條地道會有機會鑿穿，她在等待第一線金光自地道口射到她身上。

第二天再去看碧玉，剛巧碰到她出院。

一輛黑色麥塞底斯來接她，司機替她開車門，工人扶着她進車。

就在關車門該刹那，碧玉看到了石子，她示意感激，擺擺手，上車去。

臉上尚未拆線，像是打破了的瓷娃娃又用強力膠黏上，裂痕處處。

車子絕塵而去，石子在醫院門口站了一會兒，也轉頭離開。

碧玉又回到以前的地方去，她也是。

在報上登了一段廣告聘請保母，前來應徵的人相當多。

每位撥出時間來見工的人均獲五十元車馬費。

石子選出五名有可能性的候選人。

何四柱說：「我要走了，你負責約見吧。」

「什麼？」

何四柱說：「你的眼光比我好。」

石子不得不把這責任揹上身。

孩子們仍不習慣父親來來去去，懊惱不已。

傍晚，石子接到一通電話，那邊忽然問：「你是誰？我聽到你的聲音多次了。」

石子奇問：「我是何家保母，閣下是哪一位？」

「我是孩子們的母親。」

「啊是何太太。」

「不，我已不是何太太，你叫我曹小姐好了。」

「是，我這就去叫何小姐。」

「慢着，你是幾時來上工的？」

「才個多月，曹小姐。」

對方見石子十分有禮，警戒之心也就減低，「孩子們好嗎？」

「還好。」

「叫寫意來。」

石子立刻去喚寫意。

大小姐正在畫水彩，立刻放下畫筆取過電話與母親說起來。

石子當然甚有感觸，人人有不同命運，曹女士恁地好運，不但完全毋需理會三個孩子飲食起居，離婚之後仍能在前夫家作威作福，別忘了，她已另結新歡。

運程若差些，拖着幾個孩子，又離開了丈夫，那可是另一番光景。

石子歎口氣，不用想那麼多，比上不足，比下有餘。

任何時間，電視新聞片上都有難民扶老携幼離開家鄉逃避戰爭尋找生機，石子每次看到遍野哀鴻，就認爲目前生活仍算不錯。

每天見一個應徵人。

石子頗爲刁鑽，把時間約在早上八時半，她想知道應徵人是否能夠準時。

第一位面試者遲到十五分鐘，一進門便抱怨地方難找，自稱是劉太太。

眞實年齡肯定比說的三十歲起碼要大十年。

那不行，這份工作需要的是活生生的蠻力。

事實上任何工作都講力氣，你看外科醫生動輒站着五六個小時做手術就知道了。

尙未坐下，立刻要求看保母宿舍。

眞聰明，要是東家的條件不適合她，她又何必聽東家嚕嗦。

石子帶她下樓看地方。

那劉太太說：「唔，窗戶是小一點。」

回到會客室，她又道：「我絕不負責洗熨煮，這裏自有菲律賓人。」

石子十分困惑，「那你做些什麼呢？」

「我看管孩子呀。」理眞氣壯。

石子發覺已經上當，不動聲色，付她車資，推說改天同她聯絡。

那劉太太說：「我曾是湖南省醫院的護士長，我有證書，你要不要看？」

石子把她送走。

馬利機伶地吐吐吞頭。

石子搔搔頭皮，「唏。」

馬利笑，「以前何先生也覺得頭痛。」

「她應當先要求看孩子呀。」

「孩子同她有什麼關係，她不過來支薪水。」

石子不語。

馬利又說：「我有朋友在華人家庭做，那對夫妻的女兒是領養兒，從前，用的保母來自中國，對那孩子不好，說非親生，不用盡力。」

過半晌石子說：「我也來自中國。」

馬利坦白說：「由此可知倒處有好人。」

石子開心，「我很高興你那樣想。」

她們倆相當投機，合力把這個家搞得妥妥當當。

第二天來的應徵人說會英語，其實不會，說會開車，其實也不會。

年紀外型合適，石子正欲與她說幾句，她手提電話響了，原來家中有幼兒，發生一些事故，需要趕回去。

石子否決了她。

她不會盡心盡意爲東家服務，在這裏的八小時將不住牽掛自己孩子，無心工作。

石子竊笑自己的要求與一般資本家同樣刻薄，所以，一有機會，人性最壞的那面自會暴露。

馬利參予意見，搖搖頭，「不妥，心不在焉，意亂心慌，家庭有問題。」

「眞沒想找一個保母那麼難。」

「若不堅持要華人，我自有姐妹。」

「我同何先生說說。」

馬利洋洋得意，「我的朋友吃苦耐勞，不少是大學生。」

「只要對孩子好就可以。」

「你把他們三個說得似孤兒。」

石子苦笑，「昨天那位，自稱太太，此地打工，我們連上司都直呼名字，我不想孩子們天天拜見這位太后。」

「這倒也是。」

江湖上怪人多的是。

下午，悠然與姐姐不知爭什麼東西，生了氣，躲到主人房不出來。

這些日子以來石子並沒進過主人房，她是保母，不用跑到大人的房間去。

可是琴老師已經在樓下等，石子不得不去喚悠然。

一推開主臥室，她愣住。

從來沒有見過那麼大的睡房，傢俱簡單、四周圍空間足夠踏腳踏車。

悠然躲在衣帽間。

那間房間面積足足有兩三百平方呎，掛滿各式女服，鞋子一層層分顏色放得整整齊齊，像鞋店的陳設。

馬利笑，「來，來看浴室。」

浴室用淡綠色大理石，四周全是鏡子，大窗對牢海景。

石子覺得像煞荷里活電影佈景。

她去喚孩子：「悠然，琴老師在等你。」

悠然在叢叢綾羅綢緞中悶哼說：「我不出來。」

「不要叫人等，那不禮貌。」

「我不理。」

「悠然你是大孩子了，要講規矩。」

悠然掀開重重衣料走出來，流着眼淚，「我不要再做寫意的妹妹。」

石子歎口氣，那還不容易，將來長大後各人自掃不就完了，最慘是她，心情欠佳之際連自己都不想做。

石子擁抱悠然。

「來，下樓去。」

「我憎恨小提琴。」

「胡說，學會一門樂器，將來娛己娛人，不知多開心。」

「你會嗎？」

「我哪有資格學。」

悠然怪同情，「石子，你好像什麼都沒有。」

石子卻不自卑，「不見得。」她攤開雙手，「我有一雙手，這是最寶貴的資產。」

她拖着悠然下樓去。

隔很久才同馬利說：「一個人要那麼多衣服鞋子來幹什麼？」

馬利聳聳肩，「我怎麼會知道。」

而且，那些衣物也並留不住她。

是夜，麥志明到福臨門來吃飯。

石子幫他點菜。

「蒸一條魚，炒一個鷄絲豆苗，喝一碗白菜湯，如何？」

「加一個蝦仁炒蛋。」

「今天倒有空。」

「來看看你。」

石子臉紅了。

麥志明也靦腆，「我姐夫怪我不加把勁。」

「我們已經是朋友了。」

「可不是，硬是鮮花糖果禮物進攻，沒意思，他也從來沒那樣對過我姐姐。」

石子覺得好笑。

「你瘦了，石子。」

「不要緊，我是鋼條。」

「我願意供你讀書。」

「我知道你有此能力。」

「畢了業，隨便你做什麼，我不會干涉。」

石子笑笑，「講得太遠了。」

老闆娘走過來，眼睛瞄着石子，「我要是年輕廿年，我就追求麥志明。」

麥志明欠一欠身，「老闆娘太謙虛了，年輕十年已經可以。」

石子幾乎噴茶。

區姑娘不以為忤，「石子，手快有，手慢無。」

麥志明笑：「我媽說先訂婚也可以。」

石子給他上菜，「多吃點，身子最重要。」

麥志明伸手過來接飯碗，石子目光落在他手上，指甲縫果然留着黑邊。

石子轉過頭去，暗底裏歎口氣，各人有各人神經之處，她就是放不下這一點。

也許，若干年後，她會後悔錯過了這個好機會。

這算是好機會？當然是，有人願意幫她解決衣食住行以及學費，還不算是機會？

麥志明有心找對象結婚，一定可以找得到，條件比她石子好的女子多的是。

石子轉到廚房去繼續忙。

這間小飯店是很多人的一生，但石子總希望跳出去。

這不是野心，她只是覺得自己應該有比較好一點的出路。

有同學家裏做餐館生意，他還是小開，可是心痛絕惡地說：「三不做，一不做漢奸，二不做毒販，三不做餐館。」

由此可知恨到什麼地步。

他青年期被父母逼着在餐館幫工，一天做十八小時，苦不堪言，發誓畢業後永遠不做這一行。

麥志明等石子收工。

「我想請你到我家來看看。」

石子婉轉地說：「我只得二十分鐘。」

麥志明很大方，「可以。」

公寓在市中心西邊，門開進去，整整齊齊簇新兩房兩廳一休甜室，家具十分考究。

推開窗，可以看到一點海與山。

石子讚一句：「真能幹，已經置了業。」

「我還有其他物業。」

「人要自己爭氣。」

「石子，如果願意結婚，公寓送給你。」
當然是同他結婚。
「石子，你可以想一想。」
石子笑笑，「我還以爲結婚前要彼此認識了解。」
麥志明極之乾脆，「你別是看言情小說太多中了毒，家祖母與家母都是盲婚，均白頭到老，給我印象深刻，何況，我對你不是不了解，你是個好女子。」
石子說：「可是我對你一無所知。」
麥志明笑笑，「我既有人保，又有舖保，穩如泰山，你還想知道什麼？」
石子笑，「譬如說，你喜歡哪種樂器。」
「我不喜歡音樂。」
「又譬如說，你可喜歡雨天。」
「無所謂，我可以備傘。」
「又譬如說，你可有觀察休梅克李維彗星撞木星事件。」
「聽說過，對地球沒影響就不相干。」

石子歎口氣，「時間已經很晚了。」

「考慮完畢，告訴我。」

石子微笑，「有時限嗎？」

「有是有的。」他心中有數。

限期大概是直至他看到更理想的對象爲止。

石子忽然問：「你看中我什麼？」

「你長得漂亮。」

這種讚美誰不愛聽。

「特別是你的眼睛，好像有許多心事，近日我總是無故想到你雙眸，有時正在修機器也會暫停。」

石子有點感動。

「還有，我喜歡你的性情，老闆娘與姐夫都說你十分懂得忍讓，對客人和氣，有人上門來只吃一碗麵你也殷勤招呼，我覺得你會對我親友也一樣好。」

石子訝異，他並不是個粗人，他觀察入微。

「不，」石子謙遜：「我吃輭不吃硬，不識事務不會轉彎，這是我至大缺點。」

「我會，我可以幫你。」

「麥志明，你是個好人。」

「晚了，不如在這裏睡一宵，我且回父母家借宿。」

「這不大好吧。」

麥志明坦率地說：「你又沒家，回山上那是何宅的工人宿舍，我想起都替你委屈。」

石子低下頭，十分欷歔，「無功不受祿。」

「你果然有缺點。」

石子也笑了。

「來，我送你。」

回到何宅已經深夜，汽車引擎聲想必騷擾到鄰居，石子有點不好意思，她根本不是這裏的居民，她作息時間同他們不一樣。

抬頭一看，月亮很高很亮，石子想起了家，想起了母親，想起很小很小的時候，坐

在母親懷中，由母親把着她握着筆的手，一筆一劃寫我是一個好寶寶，還有，畫人的面孔五官，畫帆船燈塔海水，畫太陽月亮星星。

石子十分心酸。

倘若嫁給麥志明，馬上可以把母親接出來過安定的生活，爲什麼不呢，倘若眞的過不下去，不妨離婚。

待她慢慢掙扎出身，母親怕要老了，一切也都來不及了。

時間眞是人類最大敵人。

快，速速決定，趁這個暑假，結婚，替母親辦申請來加、成家、接着回學校去讀完全程。

一個人撐了千多個日子已經累了，有主人房不住爲什麼要睡在工人房？

這種氣爭給誰看，連石子她都不要看。

她才歎一口氣，天就朦亮了。

夏季，天亮得早，四五點已露魚肚白。

弄得不好，這個冬天，不知要在何處瑟縮。

快，快下決心。

石子被自己逼得流下淚來。

幸虧此刻她還年輕，一宵不眠視作等閑。

馬利先看見她在園子裏淋玫瑰花。

「石子，石子。」

石子抬起頭，「什麼事？」

「太太昨夜打電話來說，明天上午來看孩子。」

石子只得應一聲。

馬利吐吐舌頭，「今日我得把制服取出熨好。」

石子不以爲意。

在早餐桌子上，寫意告訴石子：「媽媽經溫哥華到三藩市辦事，順道來看我們。」

悠然問：「見媽媽，該穿什麼衣服？」

孩子的天性就是這樣：媽媽成天在家，他們把她當老媽子，媽媽不大理會他們，他們把她當貴賓。

再進一步聯想，大人也還不是一樣脾氣。

孩子們非常興奮。

第三個來應徵保母的人給石子很大的意外。

門一打開，只見一個英俊的金髮藍眼年輕人。

石子立刻說：「你弄錯了，我們聘請保母。」

「我知道，你又沒訂明性別。」

石子答：「我們只在中文報上刊登廣告。」

「我稍諳中文，願意在華裔家庭居住學習。」

石子訝異得說不出話來，「請進來喝杯茶。」

那年輕人說：「你不會有性別歧視吧。」

「外頭工作眞的很難找？」

「皆因我無一技之長。」

石子心驚，她也沒有。

「有沒有想過男性保母的好處？我孔武有力，可以保護孩子，我駕駛技術高超，還

有，我刻苦耐勞。」

「我們得考慮一下。」

「你是這裏的管家？」

「可以這麼說。」

「主人呢？」

石子不想說太多，「有事出去了。」

「我可以試用。」

「我會轉達你的意思。」

年輕人很惆悵，「看情形我又得回到街上去派單張。」

石子驚問：「那是你此刻的工作嗎？」

「正是。」

石子又問：「你的中文自何處學來？」

半晌他說：「我的女友是華裔。」

石子點點頭，「我們會通知你。」

這個家只有婦孺，怎麼可以放一個男人進來做保母，此人異想天開，腦筋有毛病。請走了他，心頭放下一塊大石。

馬利過來加揷意見：「若眞要請男工人，同時用兩夫妻比較好。」

她把一張電傳交到石子手中。是上海來鴻。

石子連忙細閱，母親這樣寫：「鞋子等物收到，來人何先生，是你的朋友嗎，彬彬有禮，十分和氣，他並囑我即時寫此便條，交予他回公司電傳給你，好叫你放心，眞是週到，我另有信稍遲寄上。」

石子深深感動，沒想到那麼忙碌的何四柱會親力親爲，他眞的把她當朋友。

馬利問：「家裏有好消息？」

石子點點頭。

馬利說：「我也最希望聽到家人平安喜樂。」

沒想到她倆同病相憐。

馬利又問：「水災離你家近嗎？」

「那不是我家那個省，那叫廣東。」
馬利說：「我在電視新聞中看到災情慘重。」
自在下樓來，斟一杯果汁，對石子說：「彼得梅菲的祖父教他騎單輪腳踏車。」
石子一怔，「他打算加入馬戲班？」
「不，但看上去有趣極了。」
「一點實際用途也無。」
「可是祖父整個下午與他耙在一起聊天、練習、吃冰淇淋。」
石子終於說：「我明白。」他希望有人陪。
自在歎口氣，「我們一個親戚也見不到。」
馬利插口：「你們三姐弟已經算好，不少移民人家才得一個孩子，豈非更加孤清。」
自在托着頭，「路加的父親趁暑期教他做木工。」十分沒精打采。
「你媽媽明天要來了。」
「呵是媽媽，」並不如寫意與悠然般興奮，「總是吵架。」

石子笑，「不會的，你爸不在，一個人吵不起來。」

「明早石子開小巴士去接飛機。」

石子意外，「我去？」

「只得你有駕駛執照，司機暑期放假。」

「呵，這樣呀。」

石子也有點好奇，她不介意第一時間看看這位前任何太太眞貌。

那天晚上，福臨門有兩桌客人興致特高，坐着不走，石子只得留下侍候。

那是一頓餞別宴，有人回流，朋友送他，天南地北，一談不可收拾，歷代華人的顛沛流離，令得他們感慨萬千，白酒開了一瓶又一瓶。

結果在一點多才散席，給了石子豐盛的小費。

石子在收拾桌子時突覺頭暈，連忙靠住牆壁，穩定腳步。

糟，她天不怕地不怕，最怕身體出毛病。

區姑娘見到，放下賬簿，「你怎麼了？」

石子歎口氣。

「任你是鐵打也會吃不消，可是熬出毛病來了？」
「天氣熱，許是中了暑。」石子萬分懊惱。
「小姐，快快同我回去休息，有勢不可盛撐。」
石子點點頭，「區姑娘，替我刮刮痧。」
「現在哪裏還作興這個，明早去看醫生是正經，回家先服兩顆阿斯匹靈。」
一路上石子已覺胸口悶、頭痛、眼花，回到何宅，一進房，就嘔吐大作。
連忙服葯倒床上悶睡。
英雄只怕病來磨，明天且非起來不可，她這種用力氣換飯吃的人，健康確是一切。
第二天鬧鐘一響，那鈴聲直似催命符。
石子還是起來了。
馬利一見她便說：「你身體不舒服？」
看得出來，臉色發靑，眼圈靑紫。
「你不如告假吧。」
「那不好，今日有許多事要做。」

「的確是，你且試試，吃不消了由我頂上。」

「好的，要不要先做一鍋粥給太太到埗喝？」

「不用，太太不愛吃中菜，我先做碗清淡的通心粉給你吃才真，餓着你更無力氣。」

石子好生感激。

孩子起來了，忙着沐浴更衣，寫意與悠然終於挑了水手裝穿：「媽媽喜歡藍色」。

趕得出門，車駛在公路上，石子已然一身冷汗。

馬利細聲問：「你怎麼樣？」

「還可以。」

其實已需咬緊牙關。

飛機準時降落，可是一行五人在候機室等了近兩個小時，一定是過關時行李出了問題。

石子虛弱地靠邊站，只望這位曹女士早點出關，她快撐不住了。

終於寫意歡呼一聲，「媽媽來了。」

石子勉強笑着走過去。

只見一高大靚粧少婦緊繃着臉與三個孩子寒暄，一邊吩咐馬利做這個做那個。

忽然想起，「保母呢，她沒來？」

石子連忙說：「我在這裏。」

那曹女士目光凌厲，上下打量石子，「你是保母？既然是工人，爲什麼不穿制服？」

說的是英語，人人聽得懂，石子愣住，漲紅面孔，到這個時候才明白馬利一早把制服取出熨好的原因。

一上來便受了教訓，胸口更加悶鬱，石子一聲不響，幫手拎起行李往外走。

那曹女士頭也不抬，「速速把車開過來，我們在這裏等。」

石子連忙奔過停車場去取車子。

孩子們嘰嘰呱呱圍住媽媽說個不休，根本無暇理會其他的事。

石子到此際才明白什麼叫做盛氣凌人。

她長長歎息一聲，忽然發覺臉上冰冷似爬着條西瓜虫，一摸，卻是眼淚，不禁訕笑

自己無用：石子石子，發半度燒，被閑人說兩句，就眼淚鼻涕的了？太輭弱啦。

連忙把車子開過去。

她先幫馬利把幾大箱衣物抬上車。

未料到曹女士怒不可抑，「保母，弟弟頭髮剃成這樣，是你的意思？」

「不——」石子轉過頭去，只看到利劍似目光。

「幸虧放暑假，不然剃成光頭，怎麼去上學？」

石子看着自在，盼這孩子幫她說出眞話，可是自在很明顯怕他母親，在一旁儘搔頭。

石子忽然笑了，這便是人性。

正在尷尬關口，有一把聲音見義勇爲：「太太，事情是這樣的，自在有同學患癌接受電療後脫髮，自在與其他男生便剃頭支持。」是老好馬利。

曹女士厲聲道：「無聊！」

石子不再言語，將車駛回何宅。

到了山上，石子又幫馬利提箱子。

馬利說：「不用了，由我來，你去休息吧。」

石子眼前金星亂冒，喘息着進房，挨床坐下，只覺像要倒地不起。

可是那曹女士追着下樓來，「保母，你生病？是什麼病？別傳染給孩子們才好，喂，你快回自己家去病！」

石子撐着抬起頭來，她一定要看清楚這位太太。

只見曹女士長着一張圓臉，眼睛烱烱有神，高鼻子，相貌堪稱秀麗，不知怎地，性情卻如此刻薄。

當下石子輕輕說：「我馬上叫朋友來接我走好了。」

曹女士滿意了，別轉頭蹬蹬蹬走上樓去。

馬利過來默默握住石子的手。

「沒關係，我會沒事的。」

石子想一想，打了一通電話給麥志明。

小麥說：「我十五分鐘到。」

石子坐在門口石階等他。

半晌，自在出來了，「對不起石子。」他低着頭。

「沒問題。」

「我——」那孩子有點羞慚。

石子打斷他，「我明白。」

無親無故，犯不着動氣。

麥志明的小吉甫車趕到，他跳下車把她扶上車，一言不發把車駛到醫生處。

診了症，取了葯，再把石子送到公寓中。

「你好好養病，我不怕傳染。」

石子忽然擁抱小麥，忍不住又落下淚來，仗義每多屠狗輩，這話眞不錯。

麥志明黑實的臉上洋溢着一層晶光，「你且睡一覺。」

石子昏昏睡去。

麥志明在一角看着她呼息均勻，放下了心。

他到附近超級市場買了作料回來煮了一鍋粥，兩個多小時過去，石子仍然未醒，他有工作要趕，只得留下張字條外出。

石子這一覺直睡到黃昏。

醒來之際，根本不知身在何處。

耳畔像是聽到弄堂小販叫賣藍花豆腐乾之聲，肚子有點餓。

她撐着起床，記憶漸漸聚集，呵，她叫東家的前妻羞辱一頓趕了出來。

不知倒了什麼楣。

看了字條，吃了粥，心想這番不知拿什麼來報答麥志明。

她撥電話到福臨門告假。

區姑娘說：「小麥已經關照過了。」

「夠人手嗎？」

「你放心，你若嫁人做少奶奶去了我們也不會關門。」區姑娘咕咕笑。

石子心想，世上好人比壞人多。

「閑氣別放心上，那種人自會有報應，東家不打打西家，工一份耳。」

「是，區姑娘。」

「人有三衰六旺，虎落平陽遭犬欺，龍擱淺水遭蝦戲。」

「謝謝你區姑娘。」

「好好休息。」

石子從來沒有看過晚間電視節目，眞沒想到豐盛若此，美加總共三十多個電視台，中英法文都有，可是她精神不振，一歪頭，又睡着了。

充足的睡眠可以治好大部份疾病，信焉。

麥志明回來，看見電視機正在絮絮細語，石子坐床上，手中揑着隻萍果，睡着了。可憐，不知累成什麼樣子。

這個女孩子，終有一天會飛出去，趁今日，能夠照顧她，就盡一點心意，麥志明已經十分滿足。

眞正喜歡一個人的時候，就會像小麥對石子那樣。

他可沒有自卑，他在異性堆中不知多吃香，他是藍領中佼佼者，收入甚豐，長相也不壞，在洋妞眼中，他那張扁面孔甚爲趣致可愛，可是，他立心要挑一個好妻子。

看來看去還是傳統華人女性可靠，爲了家爲了孩子，她們願意吃苦，不比洋女，一生氣動輒帶着子女一起失踪。

小麥在另一間房裏睡了。

第二天他起來，看到石子醒了，正在吃那隻萍果。

她頭髮毛毛，笑容輭弱，卻仍然像朶花。

「好點了吧。」

「根本就沒有什麼事，打擾麻煩你了。」

「還回去何家嗎？」

石子搖搖頭，「都給東家趕出來啦。」

「咄，那女人又不是發薪人。」

「他們都是一伙的。」

這時，忽然聽到門鈴聲。

石子十分警惕，「你的朋友？」

「不怕，我去擋駕。」

半晌，小麥探頭進房門，「是來看你的，石子。」

石子訝異，誰，誰會知道她在這裏。

房門推開，「石子，是我。」

石子自床上下來，「自在，是你，你怎麼來了？」

可不就是何自在。

那孩子囁嚅說：「我來看你。」

「你怎麼找到這裏來？」

「我先乘計程車到福臨門，問到你在這裏，又乘車來。」

「這麼早，福臨門有人？」

「有，正在等運肉車。」

「自在，你找我幹什麼？」

「石子，我對不起你，我累你捱罵，我應該勇敢地站起來把話說清楚。」

石子反而安慰他：「這種勇氣不是人人有，許多成年人一生不願承擔錯誤，總是找別人來做擋箭牌。」

「可是，石子，你對我很好。」

「自在，我很高興看到你，不過，家裏知道你出來了嗎？」

「他們都在床上。」

「我想，你還是叫他們來接你回去吧。」

「反正出來了，石子，請你陪我看電影逛遊樂場。」

「自在，我不認爲可以。」

麥志明取過外套，「我送他回去。」

自在頹然，「我不要回家。」

「爲什麼?你有一個最豪華舒適的家。」

「爸爸昨夜趕回來，與媽媽吵了通宵，我們三個害怕得不得了。」

石子一怔，怪不得航空公司的生意那麼好，這班人似乎每隔十日八日便來回一次，單爲着吵架也値得。

「吵累了，睡一會兒，醒了一定再吵，吵死人。」

小麥與石子聽了只會駭笑。

「自在，你還是要回家的。」

「你病好了就回來?」

石子看着他，「不，我辭工了。」

何自在一聽，像是最後的一點點把握也沒了，失聲痛哭起來。

石子把他摟在懷中，內心惻然。

對一個孩子來說，這也已是十分大的磨難。

石子取起電話，撥到何家。

來聽電話的正是何四柱。

「石子？昨天的事我可以解釋——」

他還沒發覺自在已經不在屋子裏。

「孩子們都好嗎？」石子語氣十分諷刺。

「好，還好，都想你回來。」

這時，石子忽然聽得一邊傳來寫意的聲音：「自在不在屋裏，自在不見了！」

「什麼？」何四柱大驚，「是否你母親把他拐走了？」

石子對這家人的狀況啼笑皆非，「何先生，自在在我身邊。」

自在取過聽筒，「爸爸，」怯怯地，「我出來了。」

何四柱醒覺，「我馬上來接你，你在何處？」

麥志明一直搔頭，這時在一旁說出地址。

「石子，你替我守住自在，我馬上來。」

鬧劇，完全是一場鬧劇。

掛上電話，石子帶着自在到公寓樓下散心，陪他說話。

「看，海鷗、浮木、沙灘，多美。」

「石子，那是你的愛人嗎？」

「我的朋友。」

「他對你很好。」

「正確，若沒他收留我，我恐怕會病倒街頭。」

「你爲什麼沒有家？」

「問得好，」石子仰天長歎，「我窮，置一個家需要許多錢。」

「你爸媽沒有給你一個家嗎？」

「他們的家在中國上海。」

「叫他們搬過來。」

「他們也窮，搬不起。」

自在怪害怕，「聽起來窮眞是不好。」

石子笑了，摟着自在不語。

一轉頭，何四柱帶着兩個女兒已站在他們身後。

寫意與悠然有點腼腆，「石子，幾時回來？」

石子並不怪她們，母親與保母之間，當然選擇母親。

石子看着何四柱，「我不做了。」

何四柱低頭無語，過一會兒說：「有人成事不足，敗事有餘。」

「不，何先生，是我精神吃不消。」

麥志明過來說：「對面馬路有間咖啡店吃歐陸式早餐實在不錯，我要去開工了。」

石子投去感激一眼。

他們一行五人前去吃早餐，大人與孩子分開兩桌坐。

何四柱說：「馬利把一切都告訴我了，她過兩個月到合同一滿也不做了。」

石子到這個時候才說：「無論如何，罵人是不對的，下人也是人，人家只不過窮一點，也一般有自尊心，怎麼見得活該捱罵呢。」

語氣十分困惑，像總是不明白爲什麼一些人一定要騎在人家頭上似的。

何四柱不出聲。

「到荐人館去尋新保母好了。」

「是，也只可以這樣。」

石子見他不堅持要她回去，倒是鬆一口氣，不過，他爲何要堅持，她只不過是一個工人，哪個工人不一樣。

「你總得收拾行李吧。」

「待何太太走了再說吧。」

「她這上下該到舊金山了。」

「那好，」石子點頭，「我回去取行李。」

孩子們就是孩子們，居然吃了許多。

回到何宅，進門，大家都呆住。

只見馬利哭喪着臉站在客廳中央，所有可以打爛的玻璃都碎成一千片一萬片，客廳被破壞得淋漓盡至。

寫意頭一個哭起來奔上樓去。

石子連忙跟上去，一看，幸虧孩子們的房間仍然完整。

她對馬利說：「立刻打電話叫清潔公司來收拾。」

何四柱已無言語，只會捧着頭坐在瓦礫堆中。

什麼地方來的怒氣與戾氣？

不是已經要什麼有什麼了嗎，爲何還不快樂，緣何還需要破壞來發洩？

石子完全不明所以然。

片刻馬利前來報告，「地庫收拾好了，孩子們可先到樓下休息。」

悠然躲在一角渾身發抖，石子在這種時刻當然不能立刻走。

清潔工人來到，一看這種情形，同何四柱說：「先生，你可有通知派出所？」

何四柱抬起頭來，疲倦地說：「或者我應當那樣做。」

悠然一聽，馬上哭起來。

石子搖頭，示意不可，指指悠然，叫他凡事看孩子份上。

清潔工人這才開始整理大廳。

石子問馬利：「怎麼發生的？」

馬利答：「目中無人。」

對，眼內如果還有別人，就不會如此放肆，一定要覺得世上沒有比他更尊貴更重要的人了，才會恣意而行。

「也不是第一次了。」馬利輕輕說。

石子忙着安撫孩子。

「讓我們到海灘去玩一日，這裏留給馬利看管。」

「好主意。」何四柱點點頭。

悠然向父親說：「你同我們一起去。」

何四柱托着頭，「爸爸實在沒有心情，爸爸倦了，爸爸想休息。」

悠然臉上露出失望的樣子來，孩子們一不高興，面孔顯得小小，非常可憐，這是他們用來保護自己的特技，悠然無意之中用上。

石子勸說：「沙灘上有地方可以躺着休息。」

何四柱只得點點頭。

他撥了幾個電話，聽得出是與律師詳談適才發生的破壞事。

石子稍後才知道，原來他考慮向法庭申請禁制前妻再踏入他家。

這又是爲什麼呢，一切目的都是要使對方痛苦、煩惱，最好活不下去。

石子一生從未那樣恨過一個人，想必先要非常相愛，事後才能互相憎恨，人類的感情眞正可悲。

臨出門前，何四柱看到不易居銅牌，忽然怒火中燒，搬起一塊大石砸過去把銅牌打爛。

石子與孩子們瞪大了雙眼，隨即一聲不發低下頭。

接着一段時間何四柱冷靜下來，不說話，手緊緊拉着孩子，心事重重。

在公園逗留了個多小時，何四柱向子女說：「我實在有事待辦，請你們包涵。」

孩子們只得懂事地頷首。

何四柱對石子苦笑，「人到了我這種情況，簡直立於必敗之地，不住要向全世界致

歉，求人原宥。」

石子不知說什麼才好。

清潔公司的人已經完工，一位裝修師正在記錄該補回些什麼器皿，人人駕輕就熟，效率甚佳。

馬利過來說：「一位麥先生找過你。」

石子點點頭。

不一會兒，律師拎着公事包來了。

寫意哭泣，「他們要打仗了。」

自在垂頭喪氣，「這場戰爭裏，我們三個肯定是傷兵。」

這時麥志明的電話又來。

石子忽然覺得此君有點不識時務，她哪裏有時間同他說話。

才要說不聽，又想起哎呀石子這不是過橋抽板嘛，怎麼就嫌他嚕囌了呢。

只得跑去說幾句。

「是否要我來接你？」

「何家有點事。」石子支吾。

麥志明很瞭解，「你改變主意了。」

「不，今天，只是，眞的——唉。」

「需要我時通知我。」

「謝謝你阿麥。」

麥志明歎口氣，「沒問題，石子，再見。」

眞是個爽快的好人，知難即退，絕不糾纏。

石子有點內疚。

何四柱在她身後出現。

「找到替工沒有？」

石子搖搖頭，「還沒有。」

「石子，請你再幫幾天忙。」

「這份工作比預期中複雜。」

「我可以加薪水。」

石子仍然搖頭。

「當作幫助朋友吧。」

石子不語。

「我眞沒想到對方會突然跑來探訪子女，且鬧出這樣的事來，一聞訊我已即時趕至，她欲帶孩子們到美國，可幸孩子們的護照在我手中。」

石子仍無表示，只是唯唯諾諾。

那天晚上，在福臨門，石子囁囁地與區姑娘商量：「店鋪的閣樓……」

區姑娘一愣，輕輕說：「那不是住人的地方，有老鼠蟑螂。」

「我不怕，人世間倒處有蛇虫鼠蟻。」

「石子，小麥那裏不好嗎。」

「不是，但——」

「你不愛他。」

石子見區姑娘一言中的，如釋重負，「對。」

區姑娘嗤一聲笑出來，「你可愛你自己？」

輪到石子一怔，「那當然。」

「千萬不要想住到閣樓去。」

「我明天就會去找公寓。」

區姑娘歎口氣，「來，趁此刻客人少，我同你出去到街上蹓躂看看風景。」

福臨門往前走兩個街口，拐彎，就是溫市著名的紅燈區。

骯髒簡陋破舊的酒店林立，天色尚未全黑，街上已經站滿黑夜天使，形跡可疑的車子不住打圈出售毒品，警車驟然駛近，引起一陣騷動……

區姑娘看着石子說：「我常常來觀光，一分鐘後我就感謝上帝當年沒讓我墮落到這裏來。」

石子不語。

「一個女子單身在都會生活，無親無靠，不能不小心一點。」

石子低下頭。

「麥志明是盞明燈，你很需要靠一靠他這樣的碼頭憩一憩。」區姑娘一而再、再而三地推荐。

石子看着暮色四合的天空不語。

「讓我們回去招呼客人吧。」

打烊之際她撥電話找孔碧玉。

電話一直沒人聽，大抵是出埠旅行去了。

石子已經沒有選擇，除非願意出錢去住酒店。

關了門她離開福臨門。

一輛車子緩緩駛近。

自車窗探頭出來的是何四柱。

區姑娘見了他，也不禁在心中稱讚一聲，何君臉容雖然略見憔悴，仍看得出一表人才，小麥的獃鈍自然不能同他比。

區姑娘藉故離去。

何四柱說：「石子我來接你。」

「我已經辭工了。」

「辭工也起碼要七天通知。」

這倒是眞的，這給石子一個藉口轉彎。

她終於回到何宅工人宿舍。

馬利同她說：「我們幾個姐妹合租了一間小公寓，一房一廳，地方雖小，就是用來以防萬一沒處歇腳，石子，日後你眞要有個打算。」

石子氣餒到極點。

那一晚睡到午夜，忽然門鈴大作，石子與馬利驚醒去應門，何四柱比她們更快，已經站在門口。

門外站着穿制服的警務人員。

語氣十分禮貌：「有人舉報你們這裏匿藏聘請非法勞工，我們想進來撿查。」

石子馬上明白這是衝着她而來，心中又驚又怒。

寫意也起來了，惺忪地站在樓梯上面，「什麼事？」

何四柱十分鎮靜，「沒有事，回去睡。」

又向石子與馬利說：「你倆去把證件取出來給警員檢查。」

他招呼警員坐下。

馬利咕噥着找出一切文件交予警員。

警員仔細查閱及登記號碼。

輪到石子，不知怎地，她的手一直顫抖，不是因爲害怕，是因爲生氣，這番不知什麼人要作弄於她，雖云眞金不怕洪爐火，但半夜三更被警方當賊查辦倒底不是好滋味，又殃及無辜，吵醒全屋，石子更加無地自容。

警方人員公事公辦，見兩名傭工均規規矩矩持永久居民文件與醫葯保險，便知道是遭人誣告。

他們鄭重道歉，「打擾了，我們純是辦公。」

何四柱十分沉得住氣，「我們明白。」

一直送到門口，一絲沒有表示不滿，只若息事寧人。

這時，悠然也起來了，「爸，什麼事？」

石子回到工人房，臉頰上的肉簌簌發抖。

幸虧她一切身分都是合法的，可是窮人爲人欺，她心有數，這告密者八成是曹女士。

不知怎地，她第一眼看見石子就不喜歡到極點。

曹女士有眼線，她知道石子又回到何宅，故此一定要剷除她。

她又何必賴在這間屋子裏。

連馬利都知道人要有個打算。

第二天一早她便攤開報紙看招租廣告，租金普遍漲上不少，無奈只得忍痛拿出節蓄來應付。

只聽得何四柱問孩子：「有無接過母親電話？」

悠然低下了頭。

何四柱問女兒：「你同她說什麼？」

「媽媽問我石子有否回來。」

何四柱恍然大悟。

石子放下心頭大石，她眞怕告密人會是麥志明，萬一是他，她對人性再也不抱任何希望。

她心平氣和地對何四柱說：「何先生，我已決定搬離此地，每日照常前來上工，直

至你找到別的人選。」

何四柱頷首，「我另外貼補你租金。」

石子邀請小麥陪她去找地方住。

「總得有個自己的窩。」

小麥不出聲。

「你不贊成吧。」

麥志明微笑，「我總得支持你。」

「我會把公寓分租一半給人幫補一下。」

「多此一舉。」

石子斜眼看着他，「非得與你同居就不算合情合理了。」

小麥刷一聲漲紅面孔，「我從來沒有那樣非分之想，我不是那樣的人。」

石子笑着握住他手搖兩搖，「你看你，汗都冒出來了。」

「我不是那樣的人。」他堅持着。

或許應該補充一句，對你石子是認眞及尊重的，對別的女性，麥志明一向也不敢造

次，請客容易送客難，洋女一進門，也許就不願走了，此地法律，同居三年，也等於結婚，分手時財產一半自動到女方手上，有了孩子，更任由母方主宰。

這些年來，麥志明相當潔身自愛。

漸漸他渴望有後裔，胖胖笨笨的孩子，不必長得很漂亮，是自己骨肉，耐心地抱着他，一口一口餵食物，漸漸會講話了：爸爸、媽媽、寶寶……那樣，即使三更半夜被人喚出去修冷暖氣都值得。

因此希望成家。

要是石子肯答應，明年大學畢業，後年就可以從事嬰兒製造業。

麥志明就是不想想，換了他是石子，千辛萬苦讀到畢業，做過一千零一種散工，一塊錢一塊錢那樣計較着省下學費，會不會一出身就孵在家中養孩子。

起碼，起碼要待十年八年之後吧。

時間的配合即是緣分，他們二人之間還差一點點。

「告訴我石子，你理想生活如何。」

石子呵呵笑，不肯說。

「爲何不講？」

「怕你笑我痴心妄想。」

「我怎麼會譏笑你。」

「好，你聽着，我也希望擁有你那樣交通方便的公寓，把母親接出來團聚，找一分有前途正規工作，在此定居。」

小麥一怔，「這不是奢望呀。」

石子黯然，「嘿！你以爲那麼容易？」她想到了孔碧玉。

「有志者事竟成。」

石子用手撐着頭，「家母身體不大好，十分盼出國走一走，我卻不濟事，目前沒有能力照顧她。」

小麥無奈，「你又不願讓我幫你。」

石子不語。

晚上，何四柱給她一個地址一管鎖匙，「這是間一房公寓，你去看看。」

石子心中有數，她爲他捱了罵受了羞辱，他過意不去，有心幫她一把。

地段甚爲高尙，租金約在千元以上，「我租不起。」

何四柱歎口氣，「你總不能做毒販及脫衣舞孃鄰舍，放心，這是我名下物業，租六百五十元好了。」

「這不好。」石子嚅嚅。

「我從不親自管理租務，考士比管業公司會得同你聯絡，即使你不再任何家保母，仍歡迎你租賃該公寓居住，石子，四海之內，皆兄弟也，照顧同胞，也是應該的。」

石子忽爾笑了。

是因爲運氣吧，所以連連得到貴人相助。

「我在短期內無法固定在一個地方辦事，仍需來回奔波。」

第二天，石子看着搬運工人把前何太太的衣物裝箱打包，據說是要把衣物搬到貨倉去。

孩子們興致卻很高，小悠然披着一件翠綠色緞子大衣滿屋走。

自在把一件貂皮大衣當大灰熊，扯緊着在地上打滾廝殺，用牛油刀刺殺，你別說，在一個距離看，還挺像是活着的毛茸茸一隻巨獸，兩隻揮舞的袖子就是熊爪。

三個工人花了整個上午操作。

石子心想，即使有朝一日她發了財，她也不會買那麼多衣服穿，千餘件，穿三年不重複也穿一匀，這是幹什麼呢，浪費。

寫意在一旁說：「太多桃紅色了，我比較喜歡極淡的貝殼色。」不自覺地批評起母親來。

三個孩子都似乎沒有太大的哀傷。

反而是石子看着，像是做了人世間悲歡離合的證人。

整整收拾了六十幾隻大紙箱子。

一輛大貨車來載走了。

馬利悄悄說：「他的律師會通知她的律師去取件。」

孩子們興高采烈談論着坐郵輪遊阿拉斯加。

何四柱說：「石子你也去吧。」

「呵不，我還要到福臨門上班。」

「告一星期假好了，我一人難以照顧四口。」

「請馬利去。」

「馬利去年去過，說悶極了，情願看家。」

石子駭笑。

「我可以補加班費用給你。」

「不不不。」石子覺得再收額外費用好似勒索了。

門外有工匠來把銅牌除去，只餘街名號數。

不易居不再是不易居了。

旁晚去上班之前，石子到那公寓去看了一下，見室內已有簡單家具，隔壁人家正在裝修，也是華人，那妙齡女子朝石子笑笑，「貴姓？」看外型可能有高貴職業，石子的社會地位一下子提升了。

寒暄數句，人家還過來看看，稱讚她那單位有半邊海景，水準眞的與以前鄰居完全不同。

石子仍想把房間一半租出去，她決定刊登招租廣告。

芳鄰問她：「你做哪一行？」

她笑笑答：「飲食業，你呢？」

「我在國泰航空任侍應生。」

她一走石子連忙把新地址通知家人。

晚上在福臨門收到一封上海來信。

是孔家伯母寫來的，語氣十分逼切：「石小姐，小女碧玉已有七十餘天沒有音訊，可否托你交待一聲，家人甚爲掛念……」

石子立刻跑進廚房打電話。

這次電話響了十來下有人來聽了。

「碧玉，」石子放下心來，「你媽記念你，叫我——」

碧玉一聲討厭，「她要錢罷了，怎麼會去煩不相干的人，你別去理她。」

石子愣了一會兒，「碧玉——」

「以後再有上海的信來，照地址退回去。」

「碧玉，我想與你說幾句話。」

「我不方便談話。」

石子生氣，「我不相信一個人會連說話的自由也無。」

碧玉比她更不耐煩，「我不是要你相信。」

石子一呆，才醒悟到碧玉已經不想與她說話。

這時孔碧玉已掛上電話。

她已經完全走了另外一條路，與舊友已無話可說，石子卻還不知道，猶自不識趣地痴纏不已，笨，眞笨，石子好似捱了一記耳光。

她放下電話，低着頭。

區姑娘進來看見，光火地說：「在幹嗎？外頭客人要茶沒茶，要水沒水！」

石子連忙趕出去。

收工時拿一張白紙擦擦臉，抹下一層油膩，想起碧玉，淚盈於睫。

區姑娘看見詫異，「說你幾句，就掉眼淚，你還出來混？」

「不不，」不但不敢落淚，還得解釋：「我是爲我的朋友碧玉。」

「孔碧玉小姐？人家早已飛黃騰達，何勞你操心。」

石子嗒然。

「女別三日，刮目相看，你同她，都抖起來啦。」

「我？」石子愕然。

區姑娘氣定神閑，「是呀，你初來上工時乘公路車往地庫，現在住市中心簇新公寓兼開小汽車，出門遇貴人了，還那麼謙虛？」

石子一想，果然，她是丈八的燈枱，照得見別人，照不見自己，頓時漲紅了臉。

「何必為她難過？她也是走走走，眼看沒有路了，不得不爬上這條梯子，我若不是過來人，也不會這麼了解你們，還有，我事事揭穿你，說不定下個月你就不再來上工了，孔碧玉自然也就疏遠咄咄相逼的你。」

石子的頭越垂越低，耳朵燒得透明。

她眞是進退兩難，都會裏的年輕漂亮女性，倒處都有陷阱等着，不投靠他，就是投靠他，要不，就干脆睡到露宿者之家去。

也許，不識抬舉才叫自甘墮落，連家人都不會原諒她。

區姑娘說得對，眼前已經沒路，只有兩條梯子，不是爬到何家，就是爬上麥家。

她選何家也很合理，何四柱是個老練有經驗的人，他知道他在做什麼，他非必要不

會傷害人，也不會輕易受傷害，這樣最好不過。

至於麥志明，他的要求太繁複了，動輒想結婚的男人至難應付，那是要女人終身付出，多大的代價。

最慘的是迄今他們還以爲肯結婚是有表示眞情意。

那夜石子完全不能入睡。

反正五六點鐘天色已亮，她到街頭散步。

市中心橫街總有流鶯足跡，石子覺得她們像流螢更多，太陽一出來，翅膀漸漸腐化死亡，沒入草塚。

夏季白天，這個城市眞叫人喜愛，那樣高的藍天，白雲團團似英國畫家康斯脫堡筆下的風景，海港裏停泊大大小小船隻，倒處都是樹木花草，街道整齊清潔，連燈柱上都吊着一籃籃的紫蘿蘭……

到了晚間，可不是那回事。

石子買了菜帶上何家，免馬利再走一趟。

馬利心存感激，「那時到了唐人街，都不知買什麼好。」

「孩子們可睡得穩？」

「還可以啦，他們也已習慣這種生活方式。」

石子記得她的父母也吵，不過是爲着柴米油鹽，他們是爲意氣。

一間屋子那麼大，是眞的有實際工夫要做。

孩子們的衣物丟得亂七八糟，球鞋髒了要洗，家具上灰塵需要抹拭。

馬利說：「其實他們自己也可以做得來。」

石子想了想答：「那我們又到何處去支薪呢。」

馬利恍然大悟，「呵，我應該一早就學你那樣想，我不該不忿這幾個孩子事事要人服侍。」

兩人均笑了。

九時正有人來應徵保母工作。

石子想法已完全改變，一見來人平頭整面，衣着乾淨，年紀也適合，便決定錄取。

「你且等一等，我叫東家來見一見你。」

馬利問：「她會英語嗎？」

「不十分流利，只有更好，少說話，無是非。」
「手腳可乾淨？」
「有保人，你放心。」
石子上樓去請何四柱。
心急，一敲門就推進去。
門推開一條縫，突覺造次，已經來不及，只聽見裏邊有女聲問：「誰？」
石子鼻端聞到一陣香氛。
只聽得何四柱說：「進來，」又對女伴講：「是保母。」
石子發獃。
何四柱問：「什麼事？」
石子站在門外不得不答：「新保母來見工，你請看合不合適。」
何四柱答：「好，我十分鐘下來。」
石子臉紅耳赤的下樓去。
走進廚房，發覺馬利看着她在笑。

「我不知何先生有客人。」

馬利悄悄說：「昨晚沒有走。」

石子隨即坦然，「漂不漂亮？」

「還不錯。」

石子也笑了，不不不，她沒有非分之想。

這時何四柱也下來了，揚聲問：「新保母在何處？」

石子答：「小會客室。」

女客可能仍在梳粧。

馬利做了早點拿到樓上去。

孩子們逐一起床，石子絕口不提女賓之事。

何四柱出來，同石子說：「人不夠活絡，不過倒還殷實。」

「保母至要緊喜歡孩子，有無學識無所謂。」

「沒有更好的人了嗎？」

「差不多是這種程度。」

「叫孩子們去看看可合眼緣。」

何四柱忽然抬頭，石子朝他目光看去，發覺客人已經站在樓梯上端。身型高大，皮膚白皙，是名華裔女性，五官最突出是一雙明亮的眼睛。

石子不好細看，感覺上這位小姐與前頭何太太是同一類型。

那位小姐款款下樓來，很大方曼妙地說：「是保母嗎。」

何四柱連忙介紹：「這位是曾若翰小姐。」

下人其實毋需知道太太小姐們叫什麼名字，反正永遠不會直接稱呼。

石子笑着招呼過後便領孩子去見新保母。

那中年婦女歡天喜地回去等候好消息。

石子上樓去爲孩子整理房間換床鋪被褥。

正把乾淨床罩揚開，角落不經意打到一個人。

「呵——」兩個人同時叫出來。

石子沒聲價道歉，當然不是她的錯，但誰對誰錯根本不是關鍵。

那曾小姐手上拿着咖啡杯站在門角搭訕：「三個孩子工夫也很多吧。」

「還可以。」石子一直微笑。

「為什麼做得好好又不做呢？」

「我另有打算。」

看得出曾小姐想打聽什麼，又不好出口，石子仍然微笑，進得門來，即時做三個孩子的母親，也不容易，大小姐過幾年好出嫁了，看眼還得當人家的丈母娘，小悠然有點多愁善感，自在正值尷尬年齡……坐得上這個位子也不值得太高興，何必患得患失。

石子把洗淨的鞋帶穿回鞋子上。

曾小姐在旁嘖嘖稱奇，「要這樣細心侍候呀。」

石子只是笑。

不然那樣大的孩子何需保母，他們已經可以做小弟小妹的小保母。

何四柱上來問女友：「你要不要出去逛街喝茶？我有事找律師，順便載你出去。」

「不，我留在家裏陪孩子。」

何四柱忽忽離去。

曾小姐在他身後甜咪咪的說：「這人一天到晚不知道忙些什麼。」

石子唯唯諾諾，不想再添麻煩。

她檢查過兩個女孩的校服，全是打密格子的、熨起來非同小可，試穿過，嫌短，幸虧校服裏都縫着服裝店的地址電話，可以即時撥電話去訂新的。

那曾小姐十分用心學習。

孩子們不大與她說話，有牢騷均朝石子發洩。

「我的午餐盒子開關摔壞了，眞可惜，是祖母由東京帶回來的。」這是悠然。

「還是不准穿絲襪，這麼大了眞的不想再穿小白襪。」這是寫意。

自在另有一功，「我討厭數理化，我憎恨所有科目。」

曾小姐說：「保母，我覺得你很成功。」

悠然到花園兜一個圈子忽然發風疹塊，癢得痛哭，石子連忙找到成葯內服外敷。

寫意在電話裏與男朋友鬧憋扭吵個不休。

自在做模型飛機用錯膠水，食指與拇指黏在一起扯不開。

馬利在一邊說：「石子你來看看這條魚是否蒸過了頭。」

曾小姐在一邊看着這個家的繁忙勁也有點吃驚。

午飯整整齊齊三餐一湯端出來。

「曾小姐請用飯。」

曾若翰並沒有叫保母同枱坐下，石子與馬利在廚房吃三文治，石子邊吃邊看報紙。

她讀的是一篇特寫：「受虐少數族裔婦女，猶如沒有翅膀小鳥……」報告訪問了百多名受虐婦女，十多名屬於華裔。

言語不通，學識有限，遇到虐待，亦不知向誰求助，更不明個人權利。

多數做一些低收入工作，例如侍應、幫傭、雜工……在工作地點亦會受到歧視。

石子歎口氣。

這時候，自在跑進來說：「曾姐姐說要添飯。」

馬利假裝沒聽見。

石子無所謂，裝了一碗白飯恭恭敬敬拿出去。

「謝謝保母。」

石子唯唯諾諾退下。

馬利說：「石子，有許多地方我眞佩服你。」

石子笑笑。

「這種女生不過來一兩次就宣告失踪，何必與她打交道。」

「我又不打算長做，無所謂。」

下午那曾若翰要帶着孩子們去看電影，石子忽然一改輭弱，「曾小姐，我想你最好問過何先生。」

「不用吧。」斜眼看着石子。

「這是我的責任，我是保母，我不能把孩子交給別人。」

「你簡直鷄毛當令箭。」

石子笑笑，「保母都是緊張大師。」

「孩子們卻想看電影。」

「那你只好連我都請在內。」

那曾小姐把頭一仰，不屑與石子計較，「你替我叫一部計程車，我要下山去。」

石子說：「遵命。」

曾小姐又吩咐馬利：「何先生回來叫他打電話給我。」

馬利一邊開門一邊沒聲價說是，趁她一走大力嘭地一聲關上門。

孩子們聞聲張望，「走了？」

大家都很寬慰：「走了。」

各人又忙各人的事去。

石子不禁猜度起曾小姐的身分來，是本地土生？不大像，少一種爽朗坦誠的味道，內地來？打扮太時道了一點，香港人？像了，大抵是一間廣告公司或公共關係公司的高級職員，忽然想在最快的時間內獲得一本護照與一個家，故看中了何四柱。

這種想法也沒有什麼不對，可是曾若翰不但沒有把握機會去迎合新環境，還想支使新地頭裏諸色人等，如此意氣用事，就很失敗了。

石子直接認爲曾女士不會成爲新任何太太。

那一天石子下班之際何四柱還沒有回來。

她回公寓換衣服時聽到電話。

「可是有房間出租予來自上海女青年？」

廣告生效了，「是，半邊房間，租金三百。」

「可否便宜些？」
「地段很方便，你上來看看再講價錢。」
「什麼時候方便？」
「能不能現在就來？稍後我要去打工。」
「十分鐘到。」
石子坐在床沿，想起當年碧玉與她共租一間地庫的情況，悶悶不樂。
那女子準時到，在樓下按對講機，隨即乘電梯上來，到了樓上，石子看到一個標緻女郎，非常斯文有禮，她倆互相通報姓名，她叫李蓉，廿一歲，學生身分。
石子看過她的證件，「一年後你就得離境。」
李蓉可不慌不忙，「說是這樣說。」
石子不語，問起上海近貌，李蓉坦白地笑道：「我離開上海有三年了，同你一樣，許久沒回去。」
石子愕然，「你在什麼地方？」
「先到日本，後到澳大利亞與新西蘭，因沒到過北美，所以到加拿大看看，聽講溫

哥華此刻遍地黃金，是不是？」徵詢起石子的意見來。

石子笑：「你自己看好了。」

「你打幾份工？」

石子看着她，心念一動，「你對餐館工作沒興趣吧。」

「這不是有無興趣問題，江湖救急，也只得做，你說是不是？」

石子點頭，「因可以當晚班，適合學生。」

「酒吧間收入如何？」

能這樣問，可見也是個老江湖了。

「酒吧品流複雜，光是賣酒的地方薪水也很普通。」

李蓉點點頭。

「學生不准打工。」

石子與李容都笑了，「除非學生都不用吃飯。」

當下李蓉也沒有再還價，就付了按金房租。

她付現鈔，鈔票一張一張折叠得很整齊，由此可知很重視金錢。

石子說：「我在家的時間極少，不過，還是希望你遵守共租規則，條欵都貼在冰箱上。」

「我懂得。」

「幾時搬來？」

「我有一隻箱子，就在門外。」

石子低頭微笑，忽然說：「李蓉，幾時我們搬起家來，也有百來箱衣物才叫威風。」

李蓉詫異，「那不是難以達到的願望。」

石子喜歡李蓉，她充滿信心。

「我要去上班了。」

「家交給我好了。」

兩個女孩子緊緊握手。

李蓉的脾氣有點像從前的碧玉，豁達得天掉下來當被蓋。

回到福臨門，只聽到店裏伙計議論紛紛惶惶然。

石子一向不愛多事，可是這次看見衆人面色大變，只當又是移民局來查非法勞工，因問：「什麼事？」

區姑娘氣急敗壞，「石子，你來得正好，你英語流利，你去警局看看老陳是怎麼回事。」

「老陳怎麼了？」

車禍？急症？

「老陳在東區的住宅內被搜出手鎗，他涉嫌被捕。」

石子張大了嘴，大師傅非法藏械？不可能！

「住宅內還藏有贓物，警方共拘捕三名男子，其中一名是白人，兩名亞裔，其中一名只有十多歲。」

電光石火間石子想起：「大師傅住宅地庫一向出租，莫非是殃及無辜？」

「我也是這麼想，警方下午來過問話，他們說正申請搜查令要搜福臨門，我驚得忘記向他們提供消息，石子，你幫幫大師傅。」

「我馬上去打電話。」

「今天店鋪恐怕要休息。」區姑娘好不懊惱。

石子的門志來了，「不用，我們這幾個人好歹張羅今晚的飯菜，又不是週末，不會太忙。」

伙計們七嘴八舌，「是，老闆娘，我們支持你。」

石子撥電話到警署，那邊一位湯遜沙展說：「石女士，你是否可以過來一次？」

石子說：「我在一小時後到。」

她連忙找麥志明，住宅電話無人聽，手提電話不通。

石子只得找何四柱。

何四柱一聽，半晌不出聲，可以想像緊皺眉頭，稍後說：「石子，你可否置身度外？」

「何先生，我並無打算捨身相救，我只想幫同事一個忙。」

「那我介紹一個律師給你。」

「好極了。」

「你在福臨門等我消息。」

十五分鐘後，何四柱告訴石子：「歐陽律師會到派出所與你會合。」

石子也有點心怯，她一向怕派出所怕警察怕事，只因寄人籬下，尚未領有正式身分證，怕一旦有什麼是非，被取消居留資格。

這幾年來她事事忍聲呑氣，也是因爲害怕。

人生地不熟，這一絲恐懼已經深深種在她心中。

可是這一次她不得不挺身而出。

到了派出所，一進門便看見麥志明垂頭喪氣坐長櫈上，身邊有一女子在六神無主地哭泣。

這想必是他的姐姐，即大師傅的妻子，眞可憐。

石子過去輕輕說：「阿麥。」

麥志明抬起頭看見石子，像是即時打了支強心針，臉上現出一絲光彩。

石子說：「我都知道了。」

麥志明說：「我們在托人找律師。」

石子看到一穿深色西裝的年輕人走進來，「律師到了，別擔心，我們並未做虧心

事。」

石子上前與歐陽律師寒暄。

「我叫歐陽乃忠，這位是當事人？請讓我瞭解事實。」

陳太太連忙嗚咽着把事情經過說一遍。

律師站起來，「我與警官去談保釋事。」

警察已出來，「誰代表陳大文？」

他們連忙圍上去。

警察宣布：「兩名租客已供出事件與陳大文君無關，不過警方仍需搜查現場，即陳氏寓所。」

「那陳氏情況如何？」

「陳氏可自行返家。」

衆人鬆口氣，陳太太反而大哭起來。

歐陽律師與警察在一旁交換意見，半晌，他們看到老陳走出來。

石子呆住了，只見他頭面腫如豬頭，身上血跡斑斑，腳步踉蹌。

她忽然忍無可忍，厲聲問警察：「你們毆打他？」

警察被石子的尖銳斥責懾住，「女士，曾經有過不必要的掙扎……」

「你打傷他！」

「女士，現場有鎗、有賊贓，我們不得不緊張一點。」

「警察打傷市民！」

老陳拉住石子，「我們走吧。」

歐陽律師這時連忙過來把石子與警察格開。

石子咆吼：「我受氣已受到眼核，我要你道歉，我們會要求賠賸。」

麥志明在石子耳邊說：「阿陳想先去看醫生。」

石子落下淚來，「我們應該據理力爭。」

麥志明說：「稍後再說吧。」

那邊老陳擁抱着妻子恍如隔世，已不打算計較細節，他頭也不回地由妻子扶着蹣跚走出衙門，並且希望至死也不要再進來。

歐陽律師說：「我們先去驗傷。」

一行人離開派出所，風一吹，石子冷靜下來。

「你們去吧，我要回福臨門開工。」

麥志明握住她的手，「謝謝你來，石子。」

石子輕聲說：「我來有什麼用，歐陽律師才重要。」

陳太太看仔細了石子，「你是小明的女朋友？很好，很好。」

老陳嘴角已被打爛，說話不清楚，模糊地嗚嗚連聲。

石子握着拳頭，「律師，我們一定要據理力爭。」

她乘公路車回福臨門去。

是夜頗有幾桌客人，區姑娘知道老陳已經放出來，十分寬慰，不介意親自掌廚。

「喂，他那地庫是否合法出租？」

「絕對合法，老陳為人穩紮穩打。」

「如何發覺租客藏械？」

「說來好笑，一名行人走過該址，看見有人在該屋地庫內展示手鎗，於是立刻報警，警方出動緊急部隊到場將該住宅包圍，警方勸喻屋內諸人自動投降走出屋外。」

「要命！當時拉上窗簾不是什麼事都沒有。」

石子不出聲。

區姑娘說：「是福不是禍，早些把這干不法之徒拘捕，免得有更大意外。」

「老陳也是，房子出租時小心點嘛。」

石子心一動，她也有房客。

這時區姑娘說：「石子，電話找你。」

對方是何四柱，「沒事了吧，歐陽已向我滙報。」

「謝謝你援手。」

「四海之內，皆兄弟也。」

石子笑了。

「我就在你門口。」

石子又一個意外，她掛上電話走出去，何四柱果然坐在車子裏，他問她：「下班沒有？」

「還沒有。」

「石子，你這個人，眞正難得。」
石子嘿一聲自嘲地低下頭。
「明早見。」
石子朝他擺擺手，他把車開走了。
剛欲回到崗位上去，冷不防背後傳來一句話：「那是你東家嗎？」
是麥志明，語氣有點酸溜溜。
石子連忙問：「老陳怎麼樣？」
「全是皮外傷，不礙事，他不欲追究了，自認晦氣算數。」
石子頷首：「這是華人千年老習慣。」
「退一步想海濶天空。」
石子歎口氣，「忍耐是最佳美德。」
「忘記整件事，可以繼續生活，同警方打官司，何等勞心勞力，他是除笨有精。」
石子不語。
「大勇若怯，算了。」

「他受了極大驚嚇。」

「是，歐陽律師說，單是這點，便可要求賠償。」

石子揚起一角眉毛，「不是歐陽忠告你們息事寧人？」

「不，歐陽十分有正義感，他說今日華人懂得英語，明白國家律法，應該據理力爭。」

「呵。」石子有點欣賞這名年輕律師。

「幹嗎在門口談個不休？」

是老闆娘出來了。

麥志明滿不好意思。

區姑娘說：「阿麥你送石子回去吧，今天眞是好長的一日，大家都累了，提早打烊。」

麥志明問石子：「你找到住所了？」

「要不要來看看？我與一女孩夾租。」

「我送你回家。」

石子在途中同麥志明說：「明年，明年或許就可以把家母接出來團聚。」

「石子，你會成功的。」

「你們都對我好，希望我高興。」

「不，你對大家都好才眞。」

石子掏出鎖匙開門，李蓉聞聲啓門。

石子爲他們介紹，麥志明並沒有進去喝杯茶，他還要去照顧老陳。

關上門李蓉立刻問：「是你男友？」

「不，只是普通朋友。」

「有無居留權？」

「人家是公民。」

李蓉聳然動容，「啊。」

石子對這種反應不知好氣還是好笑。

李蓉正在讀一封信，「石子，這是上海最新的流行語，保證你還沒聽過。」

「說些什麼？」

「聽好了：上海女人分四等，第一等飄洋過海，第二等深圳珠海，第三等終於下海，第四等留在上海。」

半晌，石子才嗤一聲笑出來，「嚼蛆。」

「石子，你我還算是第一等上海女人呢。」

石子差些沒噴茶。

「我眞羨慕你有兩份工作。」

「你也不賴呀。」

「差遠囉，此刻只敢暗地裏替人家帶嬰兒，家有幼兒的母親最絕望，只要有幫手，非法勞工絕不介意。」

石子笑，「還算是第一等上海女人呢。」

「人們對上海女人是一向有顧忌的。」

石子承認這是事實，「是啥格道理呢？」

「第一，皮膚比較白，身段比較高，人比較聰明。」

「這些不都是優點嗎？」

「落在不一樣的眼內有不一樣的觀感。」
「偏見。」
「石子，我做過許多行業，見過許多事，現在眞想嫁人。」
石子笑，「你累了，明天睡醒想法可大大不同了。」
李蓉和衣躺在床上，「有時候做夢回到家裏——」
石子給她接上去：「嘜，弄堂裏有小朋友叫我下去玩，隔壁林家阿姐出嫁找我做儐相，還有，香港有親戚寄五百港幣來，我們好去吃麥當勞漢堡。」
李蓉怔怔地笑。
「你可願意做全職保母？」
「要看人家可願雇用我。」
「其實不難——」
說到一半，石子發覺她已轉身面壁，大概是累了，也就識趣噤聲。
李蓉像隻貓，睡着了一點聲音也無，是位理想室友。
廚房裏收拾得乾乾淨淨，冰箱裏食物式式俱備，這一點比碧玉四整，碧玉老是吃空

了冰箱都不思填充。

第二天一早鬧鐘響了，李蓉揉着面孔，「嘩，石子，你敢情是鐵鑄的。」

「人人都那麼說，我想是賤人賤命力氣更賤。」

李蓉長長歎息。

「來，我帶你去見工。」

李蓉一骨碌起床梳洗。

二人照例先到唐人街買菜。

「一天吃那麼多？」

「何先生在家，總得三菜一湯，孩子們正在發育，也很能吃。」

「每個月恐怕千餘元不止吧。」

「光是喝果汁礦泉水葡萄酒就是筆數目。」

李蓉笑說：「有錢眞好。」

「誰說不是，我看何先生坐在書房簽支票付帳單一寫好幾個小時，上個月園丁算一千多，說是補種了若干花卉。」

李蓉忽然問：「他們快樂嗎？」

「我想是快樂的，要什麼有什麼，那感覺不知多好。」

到了山上，她們把食物搲進屋內。

沒想到李蓉好身手，她會殺龍蝦。

馬利想學，三個女子加上好奇的孩子，廚房內熱鬧非凡。

忽聞咳嗽一聲，轉頭一看，是何四柱。

李蓉掩嘴笑，「君子遠庖廚。」

石子連忙說：「我來介紹新保母。」

孩子們馬上雀躍，「幾時來上工？」

石子不禁惆悵，看到更好的了，立刻見異思遷，喜新忘舊。

「有一件事，李蓉以學生身分入境。」

馬利在一旁說：「若非如此，也不肯打家庭工。」

何四柱也知道理想人選實在難找，故說：「當是親戚來幫忙好了。」

石子大喜，「好了好了，一言爲定。」

李蓉也說：「我眞幸運。」

「我明天走，石子，你交待李蓉工夫。」

何四柱只有與前妻開火時才回到家來霸佔地盤。

他隨即出去了，說好回來吃中飯。

石子忍不住問李蓉：「怎麼樣？」

李蓉搖搖頭，「齊大非偶。」

噫，大家想法一樣。

「小家庭一夫一妻，夠吃算數，不必弄得那麼複雜。」

「你說得對。」

李蓉拍拍手掌，「孩子們，跟我上樓，我教你們收拾房間，來。」

孩子們聽話地小鴨子似跟她上樓。

馬利旁觀者清，「石子，你的姐妹比你聰明。」

石子嘖嘖稱奇，「你說得好。」

「你又比我們聰明。」

「還不是在同一間廚房裏工作。」

電話響了，馬利去聽，半晌回來說：「那曾小姐說有一方絲巾漏在我們這裏。」

石子馬上笑。

當然是故意的，老掉了牙的技倆。

「我告訴她何先生就快來吃午飯，她說立刻來取，」馬利笑道：「屆時，叫李蓉招呼她。」

石子有點不忍，隨即一想，是那曾女士自投羅網，怪不得人，也就算了，她準備送孩子們到會所學打網球。

只見馬利在李蓉耳邊悄悄說了一會子話，李蓉留神聽，漸漸微微笑，不住頷首。

半晌，那曾小姐來了。

計程車還未停定，馬利一個箭步上前，同司機說：「你稍等，客人很快出來。」

曾小姐愕然，她滿以為可以留下吃中飯。

稍微遲疑，她問道：「何先生與孩子們呢？」

「孩子們去了打球，何先生在外。」

「保母呢，我同她說話。」

李蓉擋在石子面前，笑嘻嘻，「張小姐找我？」

曾若翰一怔，「我姓曾，你是誰？」

「我是新保母，有什麼吩咐？」

「我漏了條絲巾在此，你替我找一找。」

李蓉笑容可掬，「四周圍都找過了，並不見，除非是掉在主人房，我是保母，不管主臥室，張小姐，請你見諒。」

石子本可出來解圍，不知怎地，正如她所說，她這些年來，受氣已受到眼核，此刻見到有人奚落這個囂張女，自覺心涼，故不作聲。

只聽得曾小姐說：「我自己進來看。」

這時，李蓉忽然問馬利：「超級市場把貨物送上門來沒有？」

馬利答：「送上來了，就堆在後門。」

李蓉笑笑，「原來已經送上門來了。」

那曾若翰臉上一陣青一陣紅，忽然臉皮掛不住，一轉頭，乘原來那部計程車走了。

李蓉收斂笑容，臉上露出肅剎之氣，「什麼東西，專門欺侮下人！」
石子說：「當心她同何某發牢騷。」
「放心，女朋友，要多少有多少，保母，什麼地方找。」
馬利拍手，「眞痛快。」
石子笑，「是，原來報復這樣舒暢。」
「石子，你太好欺侮了。」
石子坐下來，歎口氣。
李蓉說：「帶我去會所參觀。」
才五分鐘車程，一路上李蓉讚不絕口，到了俱樂部，她們坐下來喝杯茶看孩子打球。
李蓉轉過頭來說：「也難怪那曾女士想來佔這個窩，一切都是現成的，一進門好享福了。」
忽然自在與一洋童起了爭執，那洋童比自在高半個頭，伸手推他，自在一個踉蹌，石子剛欲勸架，李蓉卻已經一支箭似射出去。

石子一心想看她如何應付，只見李蓉一手叉腰，一手去推那洋童，一下兩下三下，並且逼那洋童道歉。

不久那洋童的家長來了，李蓉正式向洋人抗議，只見那洋人沒聲價致歉，即時帶了孩子離去。

石子在一邊駭笑。

呵，原來可以這樣。

比她更敬佩李蓉的有何自在，他用崇敬的目光注視新保母，她為他好好出了一口氣。

李蓉幫他拾回球拍，鼓勵他幾句，拍拍他肩膀，叫他回去打球。

她笑嘻嘻回來。

石子起身向她鞠躬，「五體投地。」

「不敢當。」

「勇氣從何而來。」

李蓉十分詫異，「石子，你在外國已經三年，難道沒發覺外國人怕女人？放肆一點

不妨，他們會自動退讓，可是見了同胞，可得謹慎，喲，華婦放起潑來，可叫你吃不消兜着走。」

石子一怔，笑得落下淚來。

李蓉低下頭，「這裏是高尚地方，必定有人承讓，我要討少主歡心，博他信任。」

石子驚歎，「你太聰明了。」

「這個都會充滿機會，抓不抓得住，就看你自己了。」

石子心細，碧玉大膽，但是李蓉則大膽而心細，她會有竄頭的。

可是李蓉隨即歎口氣，「這個地方，好比我們從前的長安，貴不可言。」

「窮人到哪裏都不好住，可是你看何四柱，到處爲家，處處是家，什麼都難不倒他，這樣的新移民也是很多的。」

李蓉忽然說：「不過香港人的福也快享滿了。」

石子一怔，「我從來沒這樣想過。」

「再過兩年，」李蓉嫵媚地笑，「也就同我們一樣。」

「怎麼樣？」

「恐怕人與財出境，都有麻煩。」

石子噓一聲，「勿談國是。」

這時，孩子們已經走過來，李蓉忙安排他們喝飲料，又逐一擦汗，與教練寒暄。

石子看出她對孩子是眞細心，這分工作適合她。

一行人返家，李蓉自去安排孩子淋浴更衣。

她吩咐馬利在廚房開飯，大家坐一起吃，「馬利，你也來。」立刻立了新規矩，儼如管家。

何四柱撥電話回來，通知石子，連晚上都無暇返來，他要陪客人到白石鎭去看地皮。

李蓉說：「這個家等於是交給保母了。」

「我要轉更了，可以載你一程。」

「我沒事，大可留到八九點才走。」

李蓉比她更適合當保母之職。

那夜，回到福臨門，大師傅已經復工，正對牢一班伙計複述前一日遭受到的不公平

待遇——

「媽拉巴子，把我拖跌在地，反扭手臂臉按在地上，鎗直抵在太陽穴上，我當時金星亂冒，嚇得屁滾尿流——」像寫武俠小說一樣。

石子見他如此興高彩烈，知道他心情已恢復過來，趨向前去問候。

大師傅一把拉住，「若不是石子見義勇為，帶着律師趕來，我一口烏氣無處可出，我老婆只會眼淚鼻涕，多虧石子這小娘，把洋警官罵得羞愧不堪——」

沒想到老陳會這樣誇張。石子見他眼角與嘴角瘀腫未退，不去掃他的興。

有客人推門進來。

石子一抬頭，有意外之喜。

她滿臉笑容迎上去，「歐陽律師，請坐請坐。」

「叫歐陽得了，大師傅好嗎？」

老陳忸怩地走過來，「勞駕你了。」

石子給他斟一壺好茶，他與老陳談了一會兒，瞭解老陳的意願確是息事寧人。

「我同你寫封信給派出所存底，說明你的委屈，可是因為了解到警方辦事的苦衷，

故就此收手。」

老陳拍腿，「好極了好極了。」

石子說：「費用——」

歐陽笑笑，「連上次出差收三十五元。」

眞是開玩笑，麥志明出來一次都收四百，他是有心幫忙。

石子送他到門口。

歐陽忽然輕輕說：「一早去公園騎腳踏車是極好運動，不知你周六可願意撥冗參加。」

石子過了很久，才醒悟到他在約會她。

她傻住了，耳朵燒得透明，只聽得自己說：「好，好。」

「星期六早上七時正我來接你。」

又是「好，好。」

「再見。」

歐陽走後，石子一個人站在福臨門飯店的大門口，動也沒動。

她想都沒想過歐陽會約會她，也沒想到聽到他開口約會有那麼高興。

漸漸石子的嘴角露出一絲笑，她低下頭，看着鞋尖。

區姑娘推門出來，「你怎麼站在這裏，吃西北風？」

石子連忙走回店內。

臉上一直紅粉緋緋。

星期六，她向何家告假，把工夫交給李蓉，一早起來準備定當，專等歐陽來接。

他把兩部爬山脚踏車綁在車後，車子駛入公園，清晨，已有遊人，石子心中歡喜，嘴巴卻說不出話來，風撲到臉上，額外舒服，她從來也不覺得公園空氣有那麼清新，鳥鳴有那麼清脆，她享受到極點。

石子有點訝異，這一切，都是因爲歐陽的緣故？

她看他一眼，他也正笑着看她，她連忙轉過頭去。

到了目的地，歐陽把脚踏車解下來，「先喝杯咖啡。」

他到小食亭買了兩杯紙杯咖啡，遞一杯給石子，石子發誓那是她喝過最香甜的飲料。

他說：「我曾在中國餐館做過三年暑期工，很想寫一本論文，叫『唐人餐館與留學生之社會關係』，可惜讀的不是人文系。」

石子只是笑。

歐陽十分感喟：「有時覺得假使不能到中國餐館打工，許多留學生可能不能畢業。」

這是真的，苦管苦，腌臢管腌臢，那裏的工資卻足以解決二餐一宿。

石子很高興歐陽也是過來人，他了解苦學生的環境，石子開頭還怕他是那號不食人間烟火的人物。

他們倆並肩騎腳踏車遊遍公園，渾然不覺時間過去，剎時已屆中午，太陽開始炎熱。

「我們走吧。」

石子並無異議。

他領她到小餐廳吃午餐，叫了白酒，與石子碰杯，一邊與她說到他的家世，小家庭，父母都在香港，一弟，唸建築，今年好出身了，他在亨加福律師行辦公，何四柱是

他的客戶，他關注華人福利，尤其是老一脫不擅英文的一羣。

石子忽然也把身世坦白，少不免提到最大願望是把母親自上海接出來。

轉瞬間餐廳侍者促他們結帳，石子覺得奇怪，一看表，才知道已經下午三時，人家要休息了。

石子不相信時間會過得那麼快。

「累了吧？」

「不不，一點都不倦。」

怎麼會這樣好精神？石子怔怔地想，這支強心針從何而來？

「我先送你回去，下午還有事待辦。」

「是是是，」石子說：「不妨礙你。」

歐陽側着頭，「明天你可有時間？」

石子忙不迭答：「有！」

事分先後輕重，一定勻得出時間。

「明早七時見。」

眞好，一早起來便可以見到他。
臨分手，歐陽對石子說：「很久沒有這樣開心。」
「我也是。」
歐陽點點頭，離去。
李蓉不在家，石子趁空覆了母親的信，外出買雜物，返家時，看見門外有警察在等。
警察看見石子，迎向前，出示證件，輕輕說了幾句話，只見石子手一鬆，捧着的牙膏肥皂全部掉在地上，警察幫她拾起。
石子的腳猶似釘在門口，動也不動，木無表情，低着頭，握着拳。
警察似乎相當了解，靜靜等她恢復常態，過了很久，石子抬起頭來，十分疲倦地說：「我準備好了。」
她跟警察坐上警車，直駛往政府殮房。
那警察很好，一直陪她進冷藏間認人。
石子看到她好朋友孔碧玉的時候非常鎮靜。

她很清楚知道這是她最後一次見到碧玉，她不顧一切蹲下，把臉貼向碧玉的手，依依不捨，忽然之間，淚如泉湧。

警察爲之惻然。

石子見碧玉身上無表面傷痕，便問：「何以致命？」

「注射過量毒品。」

石子點點頭，她替碧玉攏了攏頭髮，隨即轉身，跟警察出去錄口供。

離開警局時已經筋疲力盡。

抵達家門，李蓉來啓門，「他們找到了你？」

石子還沒回答，李蓉已自她表情中得到答案，不禁與石子緊緊擁抱。

李蓉斟杯熱茶給石子。

石子用手托着頭，「眞奇怪，看到碧玉，我彷彿覺得她就是我，我就是她。」聲音乾涸。

「我明白你的意思，弄得不好，有什麼閃失，躺在那冷氣間的，就是你同我。」

「李蓉，我沒有盡力，我沒有拉住她，我眼睜睜看她掉落深淵。」

「別爲難你自己，你好比泥菩薩過江，又如履薄冰，如何照顧別人？」
「你不明白，我十分托大，她到酒吧跳舞時，我還跟去看過，雖覺猥瑣，但是認爲做個一年半載賺一票退出，也是個主意。」
「別再去想它了，先睡一覺。」
「不，我要去開工了。」
到了福臨門，區姑娘也問同一句話：「警方找到你了？」
石子頷首。
區姑娘歎口氣，「眞不知如何告知她爹娘。」
石子怔怔落下淚來。
第二天一早，歐陽乃忠看到一雙核桃那般的腫眼。
石子不顧一切，把事情扼要地告訴歐陽。
他與她散步至市中心，在露天咖啡座坐下，叫一杯熱牛乳給石子。
他陪了她整個上午，分手時他說：「星期一晚上我來接你下班。」
石子似好過一點。

不過那晚她夢見了碧玉。

「我知你會入夢來。」

碧玉只是笑。

「告訴我，碧玉，你那裏是否十分平靜？」石子有點嚮往。

碧玉伸手來拉石子。

就在這時候，石子聽見一聲嬌吆：「去，去，現在是我住在這裏，你來幹什麼？」

石子驚醒，聽到李蓉在一旁大聲說夢話。

她去推李蓉，「你沒事吧？」

李蓉睜開眼，「呵，原來是一個夢。」

「你夢見何人？」

李蓉不肯說，「不相干，快去睡。」

石子如何還睡得着。

李蓉說：「石子，何宅那份工，你是交給我了？」

石子點點頭，「深慶得人。」

李蓉忽然大膽問：「那麼，麥志明這個人是否也由我接收？」

石子一愣，不相信雙耳，漸漸她的愁容露出一絲微笑，「你不嫌棄麥志明？」

「開玩笑，他不嫌我已經很好。」

石子十分替阿麥慶幸，她吁出一口氣，心中放下一塊大石。

「你還沒給我一個確實答案。」

石子連忙說：「我一向視阿麥如好友，我祝福你們。」

李蓉十分滿意，「石子，你眞是我命中貴人。」

李蓉翻一個身，沉沉睡去。

石子看着窗外，一輪明月照無眠。

天很快亮了。

第二天石子翻閱日曆，離開學剛剛還有一個月，她數着存摺上的銀碼，約莫可以應付過去了，她鬆出一口氣。

腳上穿的鞋子還是碧玉送的，這幾年她過的眞是緊日子，連吃一個冰淇淋都再三思量，省一塊是一塊，十個十塊即是一百塊。

她石子這一輩子，大概都會做一個錙銖必計的人，已經嚇破了膽，不敢輕舉妄動。

母親的信這樣說：「眞沒想到你會在外國生根落地，而且過得那麼好，從明信片裏看，地方實在太美了……」

畢業後一定要回去一趟，親口向母親述說這些日子的苦樂。

還有，一定要同她提及歐陽乃忠。

稍後，她上山去探訪何家的孩子們。

悠然頭一個跑出來摟住石子不放。

「新保母好不好？」

悠然點點頭，「很好，但是我們想念你。」

「我要開學了，只能在晚上做工，李蓉會照顧你們。」

李蓉出來，「悠然，玩具堆了一天一地，你去收拾一下。」

李蓉很會訓練孩子，不比石子那麼縱容。

「馬利呢？」

「家鄉有颱風，她忙着打電話找親人，十分苦惱。」

「你與她相處可好？」

「哎呀，同是天涯淪落人。」

「李蓉，你沒有架子眞好。」

「還不是向你學習。」

「你比我聰明多了。」

兩個女孩子互相客套一番，然後漸漸說出眞心話。

李蓉說：「眞不能想像有人會在這樣美麗豐足的環境下成長。」

「可是他們沒有父母陪伴。」

李蓉頷首，「可見世事古難全。」

石子笑笑道：「物質也很重要，像我同你，首先，要爭取安定的生活，衣食足，方能知榮辱。」

李蓉看着她的新知己朋友，「你打算穿多少吃多少？」

「不多，溫飽即行。」

李蓉答：「我也是，所以我問你要麥志明。」

石子忽然有點不放心，叮囑道：「請善待這老實人。」

「第一，他並無你想像中老實，第二，請你放心，我自然會公平對他。」

李蓉說的一定正確，出一次差收四百多元的工人怎麼可算老實。

過一刻石子問：「你不想知道爲什麼我沒與麥有進一步發展？」與其將來思疑，不如現在講個一清二楚。

李蓉溫和地微笑，「因爲不投緣嘛。」

「正是，」石子鬆口氣，「緣分這件事眞難講。」

「我相信你同歐陽君會有比較好的發展。」

石子笑出來，「你注意到他了。」

「他打電話來，我聽過好幾次。」

石子收斂笑意，「可惜碧玉不認識他。」黯然傷神。

李蓉看看鐘，「孩子們要去上音樂課了，我去叫他們換衣服。」

石子對李蓉說：「悠然還小，你幫她穿鞋子。」

李蓉笑，「將來你一定是個溺愛孩子的媽媽。」

她大力拍拍手，「限你們十分鐘內換妥衣服。」

現在她是保母了，她有她一套。

由李蓉駕車送石子下山。

寫意在車上與石子談心。

「石子你有空要常常來看我們。」

「我會的你放心。」

寫意說：「爸有了新女友。」

「哦。」石子不方便說什麼。

寫意說：「這一位比上次那位略好，不過……」

石子微笑，「你要學習與人相處。」

「我想不必，她不會與我們同住。」

石子點點頭。

「我一直沒有告訴你，其實我與自在及悠然不同一個生母。」

石子一怔，不過這也不算稀奇。

「我已經習慣這樣生活，不過悠然還小。」

石子惻然，面子上卻不露出來，「悠然適應得很好。」

「無論如何，石子，即使結了婚，也要抽空來看我們。」

石子大大訝異，「你怎麼知道我要結婚？」

寫意側側頭，「這只是一種靈感，我也說不出理由。」

石子下車。

回公寓需過一條馬路，石子看到身邊有一個人影。

她猛地抬頭，發覺跟着她的人是碧玉那個台灣客。

「你！」石子握緊拳頭厭憎地喊出來。

那男子臉上默哀的神色令石子訝異，呵他對她有感情。

「我到今晨方知此事。」

「你不在現場？」

「我在東京主持一間酒吧的開幕禮，昨日才返來。」

石子木着一張臉，「你沒有好好照顧她。」

「她跟我那些日子，一直不快樂，想離開我，又說要回上海去做生意，我願替她出本錢，可是——」

碧玉從頭到尾不習慣新生活，可是她又深知，回到老家，她也已經不能適應。

「我將回上海將此事親身向她父母交待。」

「你願意？」石子十分意外。

那位先生向石子欠欠身，「這點擔躭，幹我們這行的人，還是有的。」

「那我要代碧玉謝謝你。」

「她有點遺物，在保險箱中找到。」

「交給她家人吧。」

「不，她附有字條，說留給你。」

「我？」

他取出一隻小小樟木螺甸首飾箱，交給石子，「你自己看。」

石子接過盒子，站在大太陽底下，怔怔落下淚來。

那男子說：「你一人在此，遇到什麼事，不妨找我。」

石子聽得退後三步，「不，不用了。」
那男子苦笑，伸手抹去眼角淚痕，轉身離去。
回到樓上，石子打開首飾盒子，看到盒中有一張字條：給石子我的最親愛朋友。
盒子裏有一隻鑽戒，一隻金錶，想必是新置的，是另一樣飾物吸引了石子的注意力。
那肯定是碧玉由上海帶出來的東西，一隻小小滑石雕刻的小猴子，售價十分廉宜，時時被小孩玩遊戲時用來在地上畫白粉界線，可是物離鄉貴，碧玉珍若拱璧。
石子把那石猴子用繩串起繫在脖子上。
偷偷地她又哭了一場。
就像上小學那時，與同學爭吵，伏案上飲泣。
來安慰她的總是碧玉，一手按她肩上，一邊與她說別的話：「有親戚寄來小型電子遊戲機，今晚來我家玩。」
或是：「石子，將來我們一起到香港遊覽。」
石子記得她通常會仰起頭抹乾眼淚說：「不，要去去遠點。」

「去美國！」

想到這裏，石子泣不成聲。

正在此際，門鈴響了。

石子連忙洗把臉去應門，來客是麥志明。

「麥，怎麼是你？」

阿麥雙手插口袋裏，「來看你。」有點靦腆。

一看就知道有話說。

石子斟杯茶給他，爲着省，冰箱裏不常有啤酒汽水。

「你雙眼紅腫，」麥有點忐忑，「爲了什麼？」

石子看着這個不算太老實的老實人，有心調侃他：「我覺得傷心，便哭了一會子。」

麥更加不安，「有何感觸？」

石子故意說：「你不知道嗎？」

「是什麼事？」他心虛。

「李蓉沒同你說？」

麥一聽到李蓉二字刷一聲漲紅面孔，像一個當場被人抓住的小偷，「我沒想到你會傷心。」有點受寵若驚。

石子知道玩笑應該到此爲止，她說：「我好朋友碧玉的事——」

「呵，」阿麥大大鬆口氣，原來如此，「都會中單身年輕漂亮女子一向是最脆弱的生命。」說着也不禁黯然。

石子不語。

「一年前北岸有一獨居女子失踪，一年後她的頭顱骨在南區住宅街道被發現，兇手至今尚未捕獲。」

石子歎口氣。

沒想到阿麥忽然傷感起來，「年輕女子大都注意儀容，平時臉上長一粒疱都會煩惱，如果知道自己骨骼會被倒處拋擲，不知難過到什麼地步。」

石子聽了發獃，頓時想起碧玉是何等愛美，一向不會放棄任何對鏡理粧的機會。

石子斜垂着頭不語，心中無比傷感。

過了許久，麥志明杯中茶已喝乾，他忽然問：「你覺得李蓉怎麼樣？」

石子據實說：「極漂亮極能幹。」

阿麥臉上露出一絲笑意，「一次與李蓉去海浴，一到沙灘，換上泳衣出來，沒有一雙眼睛不注意她的。」

李蓉外型就像那種傳說中的上海女郎。

麥志明搔搔頭，「太好看了，老叫人不放心。」

「據我所知，李蓉是個腳踏實地的人。」

麥志明又說：「她的底細如何我可是一點不知道。」

石子忍不住扮起諸葛亮來，「你陪她回一次上海，不就什麼都明明白白了。」

麥志明雙眼亮起來，「是，是，多謝你。」

石子見他那麼高興，也笑了起來。

麥說下去：「行家是恩娶位台灣小姐，岳家起初反對女兒嫁洋人，可是婚後待女壻好極了，回台北探親，他們送他電視機與金錶。」

石子揶揄他：「台灣人富裕，上海人還差些，恐怕你需帶金器與電器進去。」

麥又笑半晌。

石子問：「你要說的話，都說完了吧。」

阿麥靦腆地點點頭。

石子伸出手來，「祝你幸福。」

阿麥與她握手，石子一低頭，看到麥的十隻指縫洗刷得乾乾淨淨，定是李蓉督促有功。

石子相信李蓉在婚後仍然可以令麥志明維持這整潔的水準，李蓉有一股蠻力，她會拍拍手，「阿麥，去洗手」李蓉做得到。

他倆會幸福的。

無意中撮合這一對，石子十分高興。

她看過李蓉的證件，知道她學生簽證十一月就要滿期，所以他倆婚期應該不遠。

婚後李蓉會得到一年或一年半的暫時居留權，之後，她丈夫才可以代爲申請永久居留，移民局老是害怕有人假結婚。

李蓉算得上是順利的了。

看情形，到了年底，這半邊房間，又得另外招租。

相逢、離別，世道照說已慣，石子仍然有無限惆悵。

天忽然下雨，已經八月中，一雨立即成秋，石子那幾件簡單的洗得發白的衣裳全部掛在櫃中，隨時添件外套，夏裝便成秋裝，她又不喜打傘，戴頂救火員式帽子，隨即出門。

到了福臨門，大師傅出來說：「區姑娘今日有事，吩咐石子你代她掌櫃。」

他嘴角傷口縫線已經拆掉，看不出什麼痕跡，事情過去也好像眞過去了。

石子隨口問：「老闆娘有什麼事？」

「她有約。」

石子恍然大悟，笑道：「奇怪，又不是春天，爲何如此熱鬧。」

大師傅看着石子，「你呢，你卻把好好一個人放走了。」

石子溫柔地說：「他從來不是我的人。」

大師傅說：「我與我老婆都喜歡你。」

「那位小姐只有比我優秀。」

「有這種事？」大師傅不相信。

石子對他說：「天外有天，人上有人，比我強一千一萬倍都有。」

老陳瞪她一眼，不再言語。

石子站櫃枱後，知道規矩，付現欵，打九折，假信用卡實在太多，防不勝防，故下此策。

她穿着老闆娘一件舊旗袍，衣不稱身，頸喉一顆撳紐老是扣不上，石子怕她看上去會有點像舊上海的白相人嫂嫂。

就是那樣，忙了一晚。

有外國客人堅持他在別家吃過的炒飯裏有海鮮，顧客至上，石子便解釋炒飯也分甲級與乙級，就送個甲級不另算費吧。

老陳說：「當心區姑娘回來罵你。」

話還沒說完，老闆娘回來了，春風滿臉，什麼都不計較，哼着歌，坐到後堂去打電話。

石子看了，甚覺凄涼，石子呵石子，再過十年，有人來約你，保不定你也會歡喜到

如此失態。

下班，想到歐陽說過會來接她，不禁忐忑，不知他是否已經等在門外。

如果不見他，該不該馬上走呢，抑或傻傻的掉轉頭來等他？

石子歎口氣，正在躊躇，大門叮一聲，有人進來，一看，正是歐陽乃忠，石子如釋重負。

他進門來接她，可見有誠意，不避嫌，大方公開他倆的關係。

石子心存感激，表面不露出來。

她與歐陽雙雙離去。

歐陽問她：「累嗎？」

她笑，「起碼可以支持到天亮。」

人是偏心的多，見到麥志明，她老是說累得眼皮都抬不起來。

「好極了，我們到高魯士山上去看流星雨。」

「今夜？」

歐陽說：「流星雨每年在八月出現，因爲這個時候有彗星越過地球的軌道，今晚，

全北美洲居民均可看到數百顆着火的微粒光輝璀璨地飛越夜空。」

石子動容，「呵，在什麼時候？」

「凌晨四時左右。」

石子看看錶，「還有三個小時呢。」

歐陽微笑，「希望與我共處時間不會難過。」

「啊絕對不會。」

「先請到舍下休息一會兒。」

這是一個考驗，石子只得勇敢地向前邁進。

歐陽的家在灰點，小小一幢洋房，書房佔地比客廳還要大，臥室四週圍簡直寬敞得可以騎腳踏車，家裏邊最多的是書，一看就知道是王老五之家，身家清白。

歐陽介紹道：「這幢房子已有七十四年歷史，差些被列爲文物，廉價買下翻新，一個人倒是住得很舒服。」

歐陽講究情趣，他約會她，說不定會一年兩年三年那樣拖下去，不過，石子想，她也不急。

啊，或者應該說，暫時不急。

石子忽然怔住，她為何開始猜度歐陽的心意？光是享受約會不是很好嗎？

她彷彿聽到李蓉在揶揄她：石子石子，同麥志明在一起，就不用爾虞我詐，患得患失，你為何捨易取難？

石子用手抹了抹臉。

歐陽問：「你可是累了？」

「沒有。」她是多心了。

閑談片刻，他們出發到山上，坐在車中靜靜等候，空地四周圍有不少同道中人，氣氛平和舒暢，石子真盼望這種時間永遠不要過去。

忽然之間，石子聽到有人驚呼，她抬起頭，看到幾百顆流星密集地飛越夜空，那感覺，像晚上駕駛汽車穿過一大羣螢火蟲一樣，使石子無比驚喜。

「太壯觀了。」

「我知道你會喜歡。」

「謝謝你帶我來。」

歐陽攤攤手笑，「完全免費。」

石子也笑，「眞沒想到『世上最好的東西全屬免費』這句話仍有眞實性。」

他送她回家。

一整夜她合上雙眼都看到天幕上有千萬顆流星朝她撲過來，她仰着頭，沾了一臉光。

大清早，李蓉拉她到百貨公司去挑選禮物，「麥志明生日」。

走過化粧品櫃枱，李蓉與石子同時駐足，女孩子倒底是女孩子，對七彩繽紛的瓶瓶罐罐發生了興趣。

正低頭研究，忽然李蓉輕輕碰了石子一下。

石子輕輕抬起頭來，她看到她們身邊有個女子正在借用櫃枱上的化粧鏡。

她約廿七八年紀，衣裳骯髒，頭髮濡濕，偷偷用化粧試用品往臉上擦，見有人注意她，抬起眼笑一笑，容顏瘦削無神。

石子一時猜不到該女來頭，正發怔，李蓉將她一把拉開，走到女裝部。

李蓉輕輕告訴她：「是露宿者。」

石子恍然大悟。

是，大清早，趁百貨公司人少，跑到衛生間洗臉洗頭，然後借用化粧品補點顏色。

「多數有毒癮。」

石子低下頭。

「洋女，有家人有朋友，尚可以落得如此下場，我同你，不小心，死路一條，」咬牙說下去：「這些日子，我看夠了，我也怕極了。」

石子不語，眼睛斜斜看着適才那洋女，只見她蹣跚地離去，腳有殘疾？不是，有一隻鞋子缺了跟。

李蓉點點頭，「出去兜生意了。」

半晌石子問：「不是要買禮物嗎？」

「不知挑什麼才好。」

「買一磅絨線替他織件毛衣背心。」

李蓉大喜，「太好了，既有心思又不花費，」隨即頹然，「糟！我不會打毛衣。」

石子笑，「你倒底算不算上海人？」

「你教我。」

「沒問題，我們到二樓去挑絨線。」

可是那洋女一拐一拐的腳步像烙印似刻在她腦海中。

所以李蓉要結婚，漫長艱辛的生活道路，有個伴侶依傍，倒底勝過孤苦一人。

李蓉完全正確。

與她分手，石子到大學去註册新學年。

碰到同學，互相招呼，她的心情又漸漸轉佳。

最後一年，學生已在綢繆出路，石子拿着一杯咖啡，聽同學們發表意見。

無論在什麼地方，她都是最靜的一個。

「我是決定一畢業就到東南亞發展，我姐姐畢業已有兩年，一直在洛遜街當售貨員，賣完首飾賣皮鞋，成何體統嘛。」

「你家在香港，當然可以回去，羨煞旁人。」

「我得住祖父家。」

「替我們也想想辦法。」

「先得學幾句廣東話。」
「不是說學好普通話才要緊嗎？」
「爲什麼叫蒲東話？」
「不，普通話，普通：一般、平凡。」
「是另外一種方言嗎？」
石子卻不想回去，人各有志。
「光是去旅行也是好的，東方風光一向爲我所喜。」
「唉，最後一年了，終於捱到畢業，像做夢一樣。」
「不算是噩夢。」
「那自然，這可能是我們一生中最好的幾年。」
可是石子太過逼切想畢業，急於要達到她的目的，她根本來不及享受學生生活。
爲着擔心下學期學費，頭髮已經白了。
同學們話題又回到錢眼裏去：「聽說香港的薪水高至百萬一年亦很普通，這是眞的嗎？」

「那豈非接近廿萬加幣？」

「好買一層公寓了。」

「嘩，一天工作廿四小時都值得，做兩三年即可退休。」

石子忽然笑出聲來。

一百年前，中國沿海各省的壯丁聽到金山的薪酬也必定如此嚮往吧，故此紛紛落船下海到西方世界來築鐵路掘金礦。

一百年後，風水輪流轉，真正猜不到。

聽到訕笑聲，同學們齊齊看牢石子，「石子有何高見？」

石子立刻噤聲。

同學們對這相貌秀麗，讀書用功的同學極有好感，可惜一直以來，她有點拒人千里以外，從不與他們主動交往。

今日忽然笑了，笑什麼？

「對，石子，笑什麼？」

石子歎口氣，不得不答：「我聽說香港一間小小公寓月租也得五六千加幣。」

衆人緘默。

「全世界都越來越貴。」

「家父說早廿多三十年至貴至好的桑那詩區洋房才三萬元一間。」

大家都笑了，年輕的生命並無陰霾，所有困難憑意志力均可克服，毫無疑問。

飯堂窗前一列玫瑰叢仍然吐露着芬芳，不知道誰開口說：「夏日最後的玫瑰。」

有人接上去：「我們最後一個暑假。」

然後散了會。

「來，石子，載你一程。」

「不，我乘公路車即可。」

「上車來好不好，別再客氣了。」

石子也覺得自己太過見外，上了同學的車子，直達市中心。

讀完這一年，大功告成，以後要在江湖相見。

石子覺得應該置幾罐啤酒招呼客人，不不，不一定是爲了歐陽乃忠，她隨即又向自己承認，好好好，確是爲了歐陽。

酒舖外總有印第安人留戀，伸出手，「小姐，賞杯咖啡」，石子想說：可是，你並不想喝咖啡，她當然不敢那麼幽默，並且也不敢當衆打開銀包，低頭疾走。

捧着酒，忽忽忙忙返回公寓。

中國人將天地萬物分作陰陽兩面眞是大智慧，這個風光明媚的花園城市，當然有它陰暗一面。

石子有時會覺得孤寂襲人，對前途一點把握也無，心底有最黑暗恐懼，所以她不介意忙碌工作，趕趕趕，揮着汗，不理其他。

她抓起手袋出門去。

剛掩上門，電話鈴響了，她又開門進去，拿起聽筒，對方卻是搭錯線，石子十分失望。

這時忽然有人推開大門，原來忽忙間石子竟粗心得忘記關門，嚇得一顆心幾乎自胸中躍出。

幸虧門外只是對戶那位在航空公司工作的小姐。

「在家嗎，借點糖。」

「請進來。」

那女孩看見石子神色有異，「你不舒服？」

「不，沒事，請坐。」

「沒上班嗎？」

「我當夜更。」

石子到廚房取糖給她，見那女孩率直，便說：「你不是香港人吧。」

「不，我是新加坡藉。」

「星洲是好地方呀，為何離鄉別井？」

芳鄰一怔，「咦，我趁年輕，倒處體驗生活，去年在倫敦住了半年。」

石子頷首，是，有家可歸在外國住叫體驗生活，無家可歸便叫流落異鄉。

「我叫陳曉新，你來自中國？」

「看得出來？」石子反問。

「皮膚白皙得像高加索人，當然來自上海或蘇州。」

「已經晒黑許多。」石子笑。

「對，今晚有派對，你可要來？」

石子說：「我要開工。」

「不好意思，我忘了。」

石子答：「沒問題。」

鄰居走了，石子坐下來，心靜得多，對歐陽乃忠是太緊張了，她必須放鬆。

也許對方也在作心理交戰：可需每天見面，抑或電話問候？石子微微笑。

回到福臨門，見老闆伙計都坐在一起像在開會。

「石子來了，別漏了她一份。」

「又有什麼大事？」

「區姑娘要退休結婚去，福臨門得易主了。」

世事永遠不會太太平平的過，總有蹺蹊，必有波折，偏偏石子，不，人人都最怕無常，石子不由得托住腮發愣，一句話都說不出來。

區姑娘清清喉嚨，「家庭是女人一生最重要——」

「得了，」有人打斷她：「你是決定上岸晒太陽去了，不必多講！」

石子這時幫着老闆娘，「自由世界，自由選擇，她愛關門即可關門。」

老陳沉吟，「各位稍安毋躁，區姑娘自會發放遣散費，我倒想把舖子頂下來做。」

衆大喜，「老陳你眞有此意？」

「那我們原班人馬照做好了。」

那老陳笑道：「不過有言在先，我生性刻薄，比不得區姑娘慷慨。」

石子第一個笑說：「不妨不妨，我們太了解清楚你的脾氣，做生不如做熟，快去辦手續好了。」

老陳問：「各位可願凑份子？」

石子攤攤手，「我的節蓄都投資給卑詩大學當學費了。」

衆人立即議論紛紛。

區姑娘悄悄站起來走到另一角去。

石子過去含笑說：「恭喜你。」

她笑笑，十分滄桑，「前途未卜。」

石子很有把握，「你是一個優秀管理人才，你會得成功。」

區姑娘失笑，「做家庭主婦還需要才華嗎？」

「嘿，做主婦無論在管理時間、人事、金錢上，都非要有三兩度散手不可，否則吃不消兜着走。」

「你呢，石子，你心頭眼角那麼高——」

石子給她接上去：「是要吃苦的，嗳，我不是不知道。」

「那就好。」

石子低下頭不語。

「婚後我們會搬到維多利亞住。」

啊，那是眞打算不問世事了。

「決定得那麼快，你們有點意外吧。」

「對於喜事，只有歡欣，沒有突兀。」

「石子，一班伙計之中，我最關心你。」

「我知道，區姑娘，謝謝你。」

忽然之間，衆伙計像是達成了協議，轟然大笑，並且有人到酒吧後取出酒來慶祝。

區姑娘惆悵地說：「看，誰沒有誰不行。」
石子點點頭，「以後要叫陳老闆了。」
「不知店名改不改。」
「我想不會，有什麼比福臨門更好呢。」
「你去問問他。」已經把自己當外人。
石子大聲叫過去，「喂，會不會改店名？」
老陳帶頭答：「不會不會，名號已經做出來，福臨門代表價廉物美，我會將此宗旨發揚光大。」
「聽到沒有？」
區姑娘點點頭，看着店內一枱一几，無限眷戀。
她喃喃道：「當初，眞捱得得十指流血。」
石子很想聽她的掌故，可是開工時間已到，她不得不說：「我要換衣服開工了。」
「嗯，果然要服侍新老闆去了。」
石子陪着笑，忽然區姑娘伸手摸了摸她的臉頰，「這張臉，連我看了都喜歡。」

石子歎口氣，「沒有用啦，還不是做粗工啦。」

「這一關你還是磡不破，石子，其實薪水只有比當文員好，藍領勝白領。」

石子低頭轉身去工作。

那天她一顆心老是忐忑，直到區姑娘叫「石子電話」，她聽到了歐陽乃忠的聲音。

「今天不能來接你。」

「啊，沒關係，」石子很坦率，「不過每天都想聽到你聲音。」

「那我一定辦到。」

「我接受這個承諾。」

「明天我一早有空。」

「那就明早見好了。」

石子儘量收歛臉上歡欣之色，那天晚上，大家都有點興奮，故此沒去注意石子神情，如在平日，她一定會被取笑，他們必不放過她。

石子返回公寓，李蓉正在閱報。

「石子你回來得正好，我讀這段文字給你聽，寫得眞好，活龍活現。」

石子邊卸粧邊問：「關於什麼？」

「關於上海。」

石子連忙說：「快讀。」

「『幾年沒回上海，前幾天回去走了一趟，感覺像是掉在粥裏。』」

石子一怔，「我媽的信可沒那樣說。」

「噯，所有母親的信都說好好好，我們很好，別擔心。」

石子笑，「所有女兒的信何嘗不是好到絕點，都報喜不報憂啦。」

「請聽，那位作者繼續說：『熟悉的街道全部變得陌生，到處改道，拆房子，建新樓，街上全是垃圾，晴天飛塵，雨天濺泥。』」

石子惆悵，「那意思是，我們即使回去，也不認得了。」

「還有，『交通一團糟，如果要去的地方只需步行半小時的話，那就步行算了，乘車更久，自行車在汽車縫裏左穿右插，險象環生……』」

石子換上浴袍，躺在床上，「我還是想回去看看。」

李蓉說：「我也是，帶着精緻小巧的禮物回去，」她語氣興奮，「廣邀親友敍

舊。」

石子頷首，「這叫做衣錦還鄉，是每個華僑都嚮往的一件事。」

「眞沒想到我們也不例外。」

「結婚之前，你與阿麥總得回去走一次。」

「你怎麼知道？」李蓉有點忸怩。

石子笑，「想當然耳。」

「我已經在爲禮物頭痛了，買些什麼好呢，世上並無價廉物美之物。」

「不怕不怕，慢慢挑選。」

「如果可以經一經香港就好了，一於同阿麥商量。」

「婚後，還打算工作嗎？」

李蓉搖搖頭，「已與麥談過，他叫我留在家裏聽電話，做他秘書，替他算帳，他怕我受氣吃苦。」

石子說：「看他多疼你。」

李蓉吁出一口氣，「可不是，總算碰到一個不怕負責任的人。」

「眞替你高興。」

「石子，你呢？」

「我還有一年功課，好歹讀完課程，屆時拿了文憑及身份證，找到工作，把母親接出來。」

「那麼，」李蓉看着她，「婚姻是要暫且擱下了。」

「我想試試自己的能力。」

李蓉說：「石子，也別太挑剔。」

「謝謝你的忠告。」

只是何家又要重新聘請保母了。

李蓉看穿石子心事，「那班孩子應當照顧自己，我已教會悠然穿衣穿鞋放水洗澡，七八歲小孩還不會扣鈕子，像什麼話，菜在鍋裏都不懂得盛出來，坐着乾捱餓，都是給愚僕寵的。」

石子訝異，「悠然願意學嗎？」

「我還教她戴手套，學會了不必求人，他們已經夠幸福，可記得我們幼時還得學冲

熱水瓶，那多危險。」

「環境造人。」

「可是優良環境不應製造廢人，洋童就什麼都自己來，剪草派報紙看顧嬰兒，我勸寫意與自在也向這種好風氣學習。」

「何先生怎麼說？」

「誰看得見他，每天撥電話來說上三五分鐘已經很好。」

石子遺憾，「我可從來沒想到要教他們獨立。」

「他們現在總算知道衛生紙用完了可以到儲物室去拿來裝上。」

「不是有馬利嗎。」石子不忍。

「馬利要打理三千多平方呎地方兼夾買菜煮飯。」

「那你呢？」

「我負責教他們照顧自己，石子，你應當比誰都清楚，最終跟着你的，不過是你自己的一雙手。」

石子笑了，「道理如此分明，卻又決定做歸家娘。」

李蓉也笑，「我喜歡阿麥。」

「看得出來。」

她取出絨線與織針，「來，石子，教我。」

石子覺得她欠阿麥這個人情，幫李蓉將毛衣開頭。

李蓉聰明，一下子學會，頭頭是道。

石子倚在窗前看月色。

李蓉放下手工，訝異問：「一切都順利，爲何心事重重？」

石子轉過頭來，「就是太過風平浪靜，才叫人擔心，我的一生，從來不是如此平坦。」

那夜石子剛瞌上眼，就做了一個夢。

她夢見一個女子迎面而來，長髮、汚垢滿身，穿一件薄薄裙子，衣不蔽體，一隻腳有鞋子，另一隻腳赤足，走路一拐一拐，像受了傷。

走近了，發覺女子全身有腫塊，腫塊上佈滿針孔，啊，怪不得如此骯髒淪落，原來已受毒品荼毒，看清楚她的臉，石子一驚：「碧玉！碧玉！」

「醒醒，石子，醒醒，做噩夢了。」
石子自床上跳起來。
李蓉說：「我聽見你叫碧玉。」
石子喝口水點點頭。
「你總得學會忘記她。」
「實在不能夠。」
李蓉歎口氣，「生離死別，在所難免。」
「她應該得到更好的結局。」
「可是很明顯地，她的要求與你我不一樣。」
半晌，石子說：「睡吧。」
第二天，歐陽乃忠爽約，他說：「何四柱回來了，有事同我商談。」
石子有點失望，「那我們再聯絡吧。」
電話迅速再次響起。
「石子，這是何四柱，勞駕你上來一次好嗎，你還有薪水在我這裏。」

石子到何宅去。

天氣仍然乾燥，卻已不如前些日子那般炎熱，上山之路不是那麼難捱了。

何四柱氣色上佳，見到石子，熱烈歡迎，當她像老朋友一樣，這是何四柱最大優點，他完全沒有架子。

「請坐請坐，」他在書房招待她，「相信你也聽說，李蓉年底結婚，我這裏又沒保母了。」

「何先生，有假期我會來幫忙。」

「孩子們似乎獨立許多，是你們功勞。」

他把支票給她，坐在書桌邊沿，忽然咳嗽一聲。

石子詫異，何四柱有什麼話要說？

「石子，你在約會歐陽乃忠律師？」

石子一怔，「是，」她一向十分坦白，「有人嫌我嗎？」

「石子，你怎麼也學會了多心？」

石子微笑，「因我自覺高攀。」

何四柱問：「怎麼我沒有這個感覺？」
石子由衷答：「因爲你是罕見的好人。」
他歎口氣，「所以我多事了。」
石子看着他。
「石子，我想警告你一聲。」
石子微笑，「可是歐陽的私生活比較放肆？」
「嗯。」
「單身漢都這樣。」她替他開脫。
「是，」何四柱說：「我也不算貞節份子。」
石子攤攤手。
「不過，你沒有發覺嗎？」
石子抬起頭，把歐陽的言行舉止在腦海中過濾一次，「沒有發覺什麼？」
「如果對這段感情有寄望，你要給他時間，付出耐心，也許他眞正想改變人生觀。」

電光石火間，石子明白了。

她低下頭。

「石子，我想你有個心理準備。」

「謝謝你，何先生。」爲她，他講了朋友是非。

何四柱也懷着歉意。

過片刻他說：「我介紹我未婚妻給你認識。」

石子受了震盪，神情有點呆木。

何四柱打開書房門，「德晶，德晶。」

一個美貌年輕女子探頭進來，「叫我？」

石子一看，這位小姐年紀同她與李蓉差不多。

她微笑點頭。

那個女孩卻十分和藹，「我叫王德晶，你好。」

石子與她寒暄幾句，便到園子來找李蓉。

李蓉坐在大太陽傘下讀小說，孩子們正打水球。

這傢伙，永不投入，永遠做糾察，眞聰明。

看見石子，她放下小說，滿面笑容，「你可見到新何太太？」

石子坐下來，「還不一定結婚吧。」

「那王小姐十分和氣，大家都喜歡她。」

「一看就知道是好出身。」

「是，家境富有，故性格天眞，毫無機心。」

何四柱一定是受夠了前頭人的鋒芒，才決定挑選一個單純的女朋友。

石子不想談論東家私事，她自己亦有心事。

李蓉瞇起眼睛看陽光下的孩子，叫過去：「自在，別玩得那麼瘋。」

石子過半晌才問：「你是幾時看出來的？」

「我可沒那麼尖銳的眼光。」

「對，你的注意力全在阿麥身上。」

「這算是揶揄我嗎？」

石子笑笑，「我說的難道不是事實。」

李蓉嬌嗔地說：「如要維持友誼，別再提到阿麥。」

她竟那麼緊張他，石子倒是替他們高興。

過一會李蓉說：「不，我什麼都沒看出來，昨日無意與何先生說起，他哎唷一聲，我才明白所以然。」

石子點點頭。

「何先生說此事不能瞞你，他好歹要做這個醜人，把他知道的告訴你。」

石子說：「何先生一直那麼坦率，我老聽講生意人往往老謀深算，愛耍手段，看樣子不是眞的。」

李蓉看着石子笑。

「怎麼了？」

「石子，熱誠坦率也許亦是一種手段。」

石子一怔，李蓉的生活經驗比她強十倍八倍，這個女孩子不簡單，也許，就是因爲洞悉世情，才會反樸歸眞，心甘情願跟麥志明組織小家庭過平凡日子。

石子歎口氣，「我明白了。」

李蓉握住石子的手，「反正你不急找對象，你已決定畢業後試一試自己的實力。」

石子黯然。

「有的人感情道路順利，有些人則崎嶇。」

石子頹然，「你看着我好了，將來除了事業，什麼都沒有。」

李蓉仰起頭哈哈大笑。

石子愕然。

李蓉伸手指着她繼續笑，「你倒想！大言不慚。」

石子被她一言道醒，也忍不住笑起來。

年輕眞好，碰到這種事還笑得出來。

孩子們自泳池出來，「什麼事那麼好笑？」

石子連忙用大毛巾裹住兩個女孩，「八月中了，月餅都上市了，小心着涼。」

李蓉笑，「你眞嚕嗦。」

孩子們也笑。

寫意說：「下午我們在後園搞燒烤，已經邀請了同學來，石子你也參加吧。」

石子答：「我沒有時間，我要準備開學。」

李蓉知道石子心情欠佳。

石子步行下山，一直呆呆地移動雙腿，不知走了多久，也不覺累，居然走到山腳商場，她坐下歇一會兒，買一個冰淇淋獨自坐着慢慢吃完，忽然笑了。

人生不如意事常八九，有幾件事是天從人願，生活大致上過得去已屬萬幸，石子心頭一口氣漸漸平復。

她在商場門口乘公路車回家。

淋浴後讀報紙，一段新聞觸目驚心：「皇家騎警證實，上周四在西門菲沙大學宿舍發現的女死者，是香港留學生黃仁美，廿二歲，死因仍在調查中，但警方初步認為，死因無可疑，死者父親已從香港來加安排其身後事」。

石子放下報紙發獃，如花似玉，不知有什麼事看不開。

廿二歲，叫仁美，出生的時候，家裏不知多麼歡欣，抱在手中，難捨難分，一天餵五六頓，半夜起床悄悄看視，漸漸長大，會走路，會笑，會叫爸媽，悉心栽培，為找學校已經傷足腦筋，終於亭亭玉立，送到外國留學，忽然有一日，校方通知道：「令千金

在宿舍自殺身亡，請前來認屍。」

仁美女士在自殺前竟未想到父母感受。

孔碧玉也沒有。

石子想法完全不同，她的志願十分卑微，她一定要好好生活下去。

想到這裏，石子心平氣和。

電話鈴響了。

「石子？我找了你大半日。」是歐陽的聲音。

「你現在何處？」

「在你樓下。」

「請上來喝杯啤酒。」

掛了電話立刻去開門。

歐陽手中提着外套，領帶解鬆，神情有點委屈。

一杯冰鎮啤酒下去，比較舒服。

拿起石子放下的報紙，讀到適才新聞，歎息一句：「爲什麼要這樣懲罰父母？」

石子攤攤手，「任何不如意事其實假以時日都會克服淡忘。」

「你是門士嗎？」

「不，」石子微笑，「一遇事我便蹲下大哭，我只是不甘心放棄，拚命糾纏。」

石子不語，斗室中一片沉默。

歐陽忽然握住石子的手，把臉埋在她手中。

「我有話說。」

石子溫和地答：「我洗耳恭聽。」

「我以前並不約會女性。」

石子早有準備，說得很有技巧，「大家是朋友，不分男女。」

歐陽十分聰明，一聽此言，知道石子有顧忌，改變初衷，再不願與他有進一步發展。

他不禁落下淚來。

迅速放下石子的手，用手背擦去眼淚，「工作眞累。」長歎一聲，像完全是因爲疲倦的緣故。

石子看着窗外，爲什麼要冒險成爲他第一個約會的女性呢，她照顧自己已經夠忙，實在不想添增更大負擔，她溫婉地說：「我們總是朋友。」

歐陽點頭，「我明白。」

「與你在一起的時間眞的很享受。」

「你沒有懷疑嗎？」

「我只是覺得你特別體貼，而且，一點也沒有越禮之舉。」

歐陽苦笑，「你不相信我會爲你改過來？」

石子搖搖頭，「你要改是因爲你自己願意改，不要爲任何人，怕只怕那人會令你失望，你又得打回原形。」

歐陽不出聲，過半晌，他告辭了。

出門之際，剛好碰到對面的陳曉新開門出來，看到歐陽，整個人愣住。

待歐陽進了電梯，她才問石子：「那麼英俊的男生！」

石子惆悵地答：「是他長得眞漂亮。」

「他的職業是什麼？」

「律師。」

陳曉新訝異，「那眞是要人有人，要才有才。」

「你不用上班？」石子試圖改變話題。

失敗，陳曉新緊釘着問：「是你的男朋友？」

「不，普通朋友而已。」石子掩上門，不欲多談。

她長歎一聲。

區姑娘邀請她一起去選購禮服。

石子說：「我對時裝打扮一無所知。」這是眞的。

「你肯幫眼我已經很高興。」

區姑娘不打算穿紗或是緞子，她只想挑一套喜氣洋洋的套裝，配雙手套即可。

石子很欣賞這個明智之舉，她覺得李蓉結婚就該選雪白的大紗裙。

一路在市中心遊覽橱窗，忽然區姑娘說：「這個好。」

石子一看，連她那樣的門外漢看到招牌字樣都嚇一跳，小心翼翼說：「這個牌子貴不可言。」

區姑娘笑，「一套不要緊。」

推門進去，幸虧店員殷勤招待。

石子在一旁耐心等待區姑娘試穿，心中莞爾，這便叫做陪他人置嫁衣裳。

另一位售貨員熱心問：「是你媽媽嗎？」

石子連忙嘘一聲，悄悄答：「是朋友。」

售貨員知道造次，不再出聲。

區姑娘拎着兩套衣服來問：「哪個顏色好？」

石子一指：「大紅。」

區姑娘很滿意，「就這套紅色的好了。」

又順便配鞋子手袋耳環，付帳之際，要動用兩張信用卡。

不知是否由男方出這筆巨欵。

區姑娘笑了，「我自己頗有粧奩，不勞別人出手。」那當然，老闆娘嘛，其實誰出無所謂，只要高興即可。

有了一次經驗，石子自告奮勇，「李蓉，我陪你去挑婚紗。」

李蓉一怔，「婚紗？不不不，我們打算註册結婚，一切從簡。」

大出石子意料，「爲什麼不舖張一下？」

李蓉笑答：「我不想太過張揚。」

「那我是沒有機會做伴娘了。」

「那不是太委屈你了嗎，你應當做證婚人。」

「證婚應由老陳擔任。」

「我們再商量吧。」

兩宗喜事待辦當兒，初秋悄悄來臨，石子開學了。

回到學校，她鬆了口氣，精神正式有了寄托，再無旁騖。

忽然之間她有點害怕畢業，一旦除卻學生身份，不知如何自處，現在再苦，總也還有個目標，畢了業環境若無改進，豈非更慘。

一日放學，發覺麥志明在課室外等她。

石子嚇一跳，在無邊無涯大的大學校舍裏找一個學生談何容易，可見麥志明是何等逼切要見她。

「什麼事？」

麥志明垂頭喪氣。

「家裏有意外？」

「不，是我自己。」

「快做新郎倌了，有什麼煩惱？」石子心中疑惑不已。

「我們找個地方說話。」

石子帶他到樹蔭坐下，「此地靜，你說吧。」

只見緊握拳頭、懊惱得出血，「石子，我在多倫多有朋友，他們說，李蓉曾是一個香港人的情婦。」

石子一怔。

「李蓉從未向我提及此事。」

「這可能是惡毒謠言。」

「不，對方有名有姓，在華人社區相當有名望，」麥地明十分頽喪。

石子訝異，「阿麥，你在外國長大，爲何如此狷介，你竟爲女友過去計較？」

阿麥一怔，緩緩低下頭。

「你那麼喜歡她，又已決定結婚，她亦肯一心一意跟你過一輩子，過去之事如烟消逝，閑雜人等說的是非豈用理會，莫爲謠言錯過良緣。」

麥志明的頭越垂越低。

石子沒好氣，「你過去還少得了女友嘛？難保沒有同金髮紅髮的洋女親密過。」

阿麥的頭又漸漸抬起來。

「眼睛要看將來，看過去有何用？過去她不認識你，你又不認識她。」

「我想問個究竟——」

石子斬釘截鐵：「不能問，結婚與否，你都無權問及她的過去，人要生存，彼時你又不知她的存在，不能幫她，現在提出來質問於事無補。」

阿麥歎口氣。

「要不要這個人隨你，請勿要求她解釋澄清。」

阿麥看着石子，「你也不會對未婚夫談及你的過去？」

石子笑了，「我覺得時機到了，自然會說，如不，我的過去，純是我的私事。」

「結婚不是兩爲一體了嗎？」
石子大笑，「你不是想玩二人三足遊戲吧，當然不是！你仍是你，她仍是她，只不過互相愛護扶持而已。」
「石子，做你的伴侶是幸福的。」
石子卻十分惆悵，「是嗎，爲什麼我找不到伙伴？」
麥志明站起來。
「且慢，你思想搞通沒有？」
阿麥點點頭。
「婚期訂在什麼時候？」
「十一月。」
「在福臨門辦喜酒？」
「當然。」
「阿麥，不要理會別人說什麼，切勿告訴李蓉你曾經來找過我。」
「是，我知道。」

「將來她有什麼事瞞你，我來幫你找她算帳。」

「聽你口氣，像個大姐。」

石子無限欷歔，「我知道我最終會成爲大姐、前輩、導師。」

麥志明笑起來，抬起頭看着來來往往的學生，點頭說：「這就是大學堂了。」

「來，我們一起走。」

臨分手，麥志明說：「石子，眞沒想到你對李蓉那麼好。」

石子嗤一聲笑出來，「我對誰好你要細想想。」

「是，你一直關心我。」

回到家，才吁出一口氣。

李蓉正在打毛線，石子過去一看，溫柔地說：「這一行不對了，趕快拆掉重織。」

李蓉笑，「人生有何錯憾若可拆掉重織就好了。」

可惜歐陽乃忠已經不再與石子聯絡。

九月份區姑娘先在福臨門擺喜酒，石子一早去幫忙，站得雙腿痠輭，笑得牙關僵硬。

區姑娘給了石子一個紅封包，叮囑了許多話。

石子眼睛紅紅，都聽在耳內。

遠親不如近鄰，這個道理又一次獲得證實。

石子寫信給母親：「在這個陌生的城市，竟也住下來了，說起英語，口音亦與本土人無異，漸漸脫盡鄉音，下個月，將把申請表遞進去，不日可與母親團聚……」

母親來了，自然知道細節。

親眼目睹李蓉在婚書上簽名，石子才鬆了一口氣。

那日在婚姻註册處觀禮的親友甚多，坐在石子身後是兩個中年女士，絮絮說是非。

——「太漂亮了，水靈靈，沒福相。」

「這種大陸女子，最要緊是找戶頭辦居留拿護照。」

石子刷地一聲轉過頭去看着她倆，笑咪咪說：「兩位太太眞好興致，當心舌頭生毒瘡。」

說是非者忽然遭到那麼直接的搶白，頓時呆住，不敢還嘴，半晌，二人搬到別的地方去坐。

石子一直維持着那個笑容，直至禮成。

李蓉搬走了。

石子又得去登廣告尋找室友。

天氣漸冷，這究竟是北國，很快日短夜長，只得七八個小時太陽，氣溫很快會降至零下。

在這種時節來到溫埠，印象分必定大減。

石子本人卻不介意，前年下大雪，她拍了許多雪景照片，寄給親友觀賞。

她披上舊大衣，去何家作客。

王德晶出來招呼她：「四柱在上海，有什麼事我可以馬上打電話給他。」

「無事無事，王小姐你太客氣，我來看看可需幫手。」

「不敢麻煩你，現在孩子們很會照顧自己，我稍為跟一跟就可。」看情形不用鬧保母荒了。

「開學了吧。」

「是，司機已回來銷假。」

「那一切已上軌道。」

王德晶笑，「馬利返鄉，不再續約，新家務助理還在學習，孩子們想念你的上海菜。」

「我的手工十分粗糙。」

「石子你眞謙虛，對了，有一件事想請教，我在地庫雜物房找到一塊銅牌，上面有不易居三字，那是什麼意思，你以前可見過這牌？」

石子一愣，馬上反問：「不易居？」最好不發表意見。

「是呀，多怪。」

「噯，是有點奇怪，會不會是誰有感而發，指這個都會不好住？」

「不好住？不會吧，」王德晶笑，「風和日麗，山明水秀，鳥語花香，還有，人情奇佳，物價又相宜，這是個樂園，我都住得不願走了。」

石子莞爾，由此可知，各人命運不同，各人感受也不一樣，王德晶並不覺得什麼地方不好住。

她告辭。

「石子等一等。」

王德晶上樓去，半晌下來，手中搭着件大衣。

「石子，你若不嫌棄，我送你一件衣服，我買大了，不合身，擱着也是浪費。」

石子微笑，這是借口，想必是覺得她身上衣服破舊，故慷慨贈衣，一看，樣子呢料都十分適合，便大方說：「那我不客氣了。」

這時司機接孩子們放學返來，石子與他們寒暄數句。

王德晶吩咐司機：「阿朗，你下班吧，順帶送石子回去。」

如此週倒，孩子們總算有福。

沒想到年輕的王德晶這樣會做人，何四柱的眼光真不賴。生意人多數有此類靈感。

當下石子向司機點點頭，「麻煩你了阿朗。」

那司機轉過頭來，與石子一照臉，呆住了，那麼秀麗的面孔！

半晌，他拉開後座車門，「請。」

石子笑，「我坐你旁邊得了。」

司機受寵若驚。

途中，他自我介紹：「我叫潘國朗，移民已有六年，未婚，與父母同住，有一弟一妹。」

石子見他自動報上身世，不敢待慢，微笑地問：「父母還習慣此地生活嗎？」

「他們在素里開菜場，種的瓜果蔬菜又大又好，幾時來參觀。」

「那多好，」石子有點意外，「你不幫家裏忙？」

「我媽也時常咕噥，弟妹老掛住讀書，我懶，早上起不來，他們被逼請印度籍工人打工，言語不通，辛苦得不得了。」

石子說：「那你得考慮回菜場幫手。」

阿朗搔搔頭，「你也那麼說？」

石子微笑，「黎明即起，到菜田裏看日出呼吸新鮮空氣，應是享受呵。」

「我從來沒那麼想過。」

「一日之計在於晨，我習慣早睡早起，像鄉下人。」

「也許，本週末我會到田裏去看看。」

石子忽然好奇，「我也想去。」她從來沒到過農場。

阿朗大喜，「你肯賞臉？」

「從這裏出發，開車到素里要一小時左右，清晨四時好起來了。」

阿朗愁眉苦臉，「我就最怕天未亮起床。」

石子笑。

阿朗看着石子閃亮的眼睛，有美相伴，滋味又大不同吧，「星期六清晨四點半我在這裏等。」

「別遲到。」

「怎麼敢。」

石子下車，向他揮揮手。

她把王德晶送的大衣掛起來，洗把臉，立刻步行到市中心大圖書館去寫功課。

將來勢必沒有這樣用不盡的體力了，這個時候叫她去打老虎她也能追三條街。

眞稀奇，有力氣的時候力氣多數不値錢，力氣有價値之際說不定又沒力氣了。

聽說祖母健康地活到八十三歲，最後一日還寫日記，石子希望也有那樣的壽命。

自圖書館出來，看到街角有一少女拉小提琴討錢，她走過去因爲她彈的是梁祝小提

琴協奏曲。

那少女朝同胞點點頭。

石子掏出十塊錢放在琴盒裏。

女孩朝她點點頭。

琴音裏沒有太多凄酸之感，大概是因爲年紀輕，不懂得。

石子把外套拉嚴一點，走回公寓。

她用微波爐煮了一杯罐頭湯，做了三文治，便忙着吃起來，一邊翻閱筆記，直到時間差不多，直赴福臨門。

老陳發薪水，石子發覺加了兩成有多。

她大吃一驚，以前區姑娘加薪水只加五巴仙之類，新老闆濶綽得多，由此可知是福不是禍，是禍躲不過。

石子焉會出聲，多那百多元她荷包不知可多寬爽。

那日招呼客人，她特別落力。

老陳打算大展鴻圖，爲侍應生做新制服，與新枱布配成一套。

石子沒有意見，別的同事則說：「千萬別是旗袍，穿着旗袍不好走路。」
「這倒是眞的，最方便是小圍裙與白襯衫。」
老陳很幽默，「我穿裙子不好看。」
石子忍不住搭住老陳的肩膊，「爲了你，大家陪你穿小鳳仙裝。」
大家哄然大笑，以致有客人進來，大感詫異：這間唐人餐館的侍應爲何如此好笑容？
週末：石子撥好鬧鐘，四時起來，伸一個懶腰，梳洗完畢，做了一個暖壺的可可，往窗外一看，發覺潘國朗已經在樓下等她，看到倩影，朝她招手。
這小子，終於在清晨起床。
石子穿得很暖，背上背包，鎖好門，下樓去。
潘國朗朝她點頭，「早。」
「沒遲到，很好哇。」
潘國朗一味笑，替她開車門。
石子忽然停住腳步，「你昨夜沒睡？」

阿潘笑而不答。
被石子猜中了。
坐在車上，石子斟一杯可可給他。
清晨公路上沒車，交通暢順，沿途觀景，十分愉快。
「去過美國沒有？到了白石，兩國邊境很近。」
「從沒有。」
「想去嗎，我載你。」
「有個黃石公園——」
「我陪你去。」
「那要待學校有假期才行。」
阿潘大吃一驚，「你還在讀書？你滿了十八歲沒有？」
他誤會她是中學生。
石子開懷大笑，這種誤會一向最受女士歡迎。
「你們家在香港就務農？」

「香港哪裏還有農田，我們在新圳租地種菜運到香港賣，移了民，重操故業，老父索性買下素里廿畝農地，據說將來像列治文那般改劃爲住宅地，就眞正發財了。」

石子不語，華人一向有辦法，到了何處在何處紮根。

「這兩邊是覆盆子田，你愛吃覆盆子嗎，夏天一片淺紫色，很好看。」

「有無花地？」

「看花要到美國貝靈咸，春季那邊有鬱金香，你喜歡什麼花？」

石子怔怔看着窗外，「我們上海人總忘不了桂花與梔子花。」

「我們在素里的家門口有三株老紫藤，是上手業主一早種下的，有手臂粗，初春一串串花蕾掛滿樹，引來粉蝶無數。」

車子駛入一座大宅，石子眞沒想到農夫的住宅會那麼壯觀。

立刻有一對中年夫婦開門出來，見是大兒子一早出現，喜出望外，「阿朗，你怎麼來了？」

阿朗忸怩，「我來看看有什麼要幫忙的，這位是石小姐。」

石子連忙說：「伯父伯母，叫我石子得了。」

那潘太太眉開眼笑，上下打量石子，一手拉住，「來，石子，跟我們到田裏參觀。」

兩架車一前一後駛往菜地。

工人正在收割菜蔬，稍後送往訂購的銷售處。

石子十分感動。

阿潘在一旁解釋：「做生畜如鷄鴨鵝則更辛苦骯髒，魚市場更是一片腥氣。」

天漸漸亮了，忽然細雨纏綿。

潘太太說：「阿朗，陪石小姐回家休息。」

「伯母我要回去了。」

「那麼快，多玩一會兒嘛，我們家有客房。」

阿潘加一句：「她要回大學上課。」

潘伯母又是一個驚喜，「石小姐是大學生？」

她吩咐工人把各種菜蔬都送上一紮叫石子帶回去，那已是滿滿兩大塑膠箱。

「阿朗，替石小姐搬回家，石小姐，有空再來。」

石子點點頭。

雨漸漸下得急了。

與潘國朗一人挽着一箱菜上車去。

「請送我回校舍。」

「這些菜——」

石子笑，「當然是送給福臨門啦。」

潘國朗恍然大悟，「我給你送去。」

那一日石子的精神特別好，上課特別用心。

回到公寓才覺得累，決定倒在床上小睡片刻，她是一閉眼立刻可以入睡那種人，失眠的奢侈與她無緣，她相信以下眞理：吃不下是因爲未餓，睡不着是因爲不累。

不知睡了多久忽聞電話鈴晌。

掙扎起來，先看鐘，還好，只得五點鐘。

電話是李蓉打來的，聲音甜滋滋。

石子笑問：「你們在何處？」

「在班芙的露意思湖。」

「好傢伙！」

「很牽掛你，找到新房客沒有？」

「乏人問津。」

「應該有人呀，開學時分，多少學生急找地方住。」

「再等兩日吧，回來記得找我。」

「那當然。」

放下電話，有人敲門。

「誰？」小心門戶是獨居人第一守則。

「對面的陳曉新。」

石子打開門，只見陳曉新全身艷裝，像是要去赴約，「石子，這是我朋友的妹妹，想租地方住，」她把身子讓一讓，石子看到站在她後面的一個女孩子，「你的室友好似搬走了是不是？」

石子連忙說：「是，是。」

陳曉新說：「我那邊已經住了三個人，沒空位了。」

「就租我這裏好了。」

「那你們談談，」陳曉新大喜過望，「玉菁，你同石姐姐慢慢談。」如卸下包袱，一溜烟走了。

那叫玉菁的女孩子怯怯站在一邊，挽着一隻行李袋。

石子失聲道：「今天剛到？」

她點點頭。

「快進來洗把臉喝杯茶慢慢說。」

那女孩如釋重負，淚盈於睫。

「玉菁，你那菁字唸青還是讀精？」

「精，白玉菁。」

「是來讀書？」

「是，我來卑詩大學唸碩士。」

石子大樂，「什麼，居然還是我師姐？失敬失敬。」

白玉菁也樂了，愁眉百結中也笑出來。

「租務條例貼在廚房冰箱上，你去看一看，覺得合理，今日便可以搬進來，有什麼問題，儘管問。」

「我……想打工。」

「可以替你想辦法。」

她終於低下頭，落下淚來。

石子溫言勸道：「這又是爲什麼？」

「害怕，彷徨，想家。」

石子答：「我明白。」

「這個地方，究竟好不好住？」

石子一時答不上來，該怎麼說呢，唉，「我慢慢告訴你。」

白玉菁憂心忡忡，「如果不易居，我想返回天津。」

「你自天津出來？」

「是。」

「先住下來，日久會習慣，週末，我帶你倒處逛逛，畢業後如果眞的不喜歡，再作打算，這裏有許多來自五湖四海的華人，你總會找到朋友。」

白玉菁乖巧地說：「我願意向你學習。」

石子似笑非笑地答：「我的路不好走。」

當下她登記了新房客的姓名地址護照號碼，防人之心不可無，她已是老大姐了，經驗豐富。

「我要去上班了，緊急電話號碼寫在黑板上，你好好睡一覺，養足精神，明天我們去逛街。」

明天石子會告訴她，許多有辦法的內地子弟，住宅在最名貴的桑那詩區。

石子穿上王德晶送的新大衣，咕噥着天氣眞的開始冷了，那樣華麗曼妙的夏季也會過去。

她抬起頭看着天空，輕輕說：碧玉，你看着，我會畢業，白玉菁也會。

亦舒系列 ⊙ 亦舒系列 ⊙ 亦舒系列

97 可是當年人面（散文）
98 譬如朝露（中篇）
99 風滿樓（長篇）
100 滿院落花簾不捲（中篇）
101 紅的燈綠的酒（短篇）
102 烈　火（長篇）
103 古老誓約（中篇）
104 七姐妹（長篇）
105 玻璃珠的歎息（短篇）
106 紫微願（長篇）
107 三個願望（中篇）
108 封　面（短篇）
109 阿修羅（長篇）
110 推荐書（散文）
111 我們不是天使（長篇）
112 小朋友（短篇）
113 一把青雲（長篇）
114 男男女女（短篇）
115 練習本（散文）
116 聽我細說（短篇）
117 傷城記（長篇）
118 迷迭香（長篇）
119 鐘　情（短篇）
120 痴情司（長篇）
121 賣火柴女孩（短篇）
122 連　環（長篇）
123 鏡　子（短篇）
124 弄潮兒（長篇）
125 慰寂寥（短篇）
126 預　言（長篇）
127 美麗的她（短篇）
128 表態書（散文）
129 美麗新世界（長篇）
130 晚　兒（短篇）
131 一千零一妙方（長篇）
132 金粉世界（短篇）
133 求真記（短篇）
134 心扉的信（長篇）
135 仲夏日之夢（短篇）
136 變　遷（短篇）
137 生活誌（散文）
138 不要愛上她（短篇）
139 小宇宙（長篇）
140 沒有季節的都會（長篇）
141 老閑話（散文）
142 表　演（短篇）
143 他人的夢（短篇）
144 尋芳記（長篇）
145 天若有情（長篇）
146 縱橫四海（長篇）
147 年輕的心（短篇）
148 假夢眞淚（長篇）
149 銀　女（長篇）
150 天秤座事故（長篇）
151 流　光（短篇）
152 生活之旅（長篇）
153 月亮背面（短篇）
154 變形記（長篇）
155 皮　相（散文）
156 在那遙遠的地方（長篇）
157 藍色都市（短篇）
158 寂寞夜（短篇）
159 絕對是個夢（長篇）
160 禿　筆（散文）
161 如何說再見（長篇）
162 燈火闌珊處（長篇）
163 偷　窺（短篇）
164 紅　塵（長篇）
165 仕女圖（短篇）
166 舊　雨（散文）
167 不易居（長篇）
168 鏡花緣（長篇）

亦舒系列 ⊙ 亦舒系列 ⊙ 亦舒系列

1	荳芽集	(散文)
2	荳芽集二集	(散文)
3	荳芽集三集	(散文)
4	家明與玫瑰	(短篇)
5	玫瑰的故事	(長篇)
6	自白書	(散文)
7	珍　珠	(中篇)
8	曼陀羅	(長篇)
9	薔薇泡沫	(長篇)
10	留英學生日誌	(散文)
11	獨身女人	(中篇)
12	舒雲集	(散文)
13	舒服集	(散文)
14	我的前半生	(長篇)
15	寶　貝	(短篇)
16	星之碎片	(中篇)
17	香雪海	(長篇)
18	歇脚處	(散文)
19	販駱駝誌	(散文)
20	兩個女人	(長篇)
21	藍鳥記	(短篇)
22	黑白講	(散文)
23	風信子	(中篇)
24	喜　寶	(長篇)
25	野孩子	(長篇)
26	回南天	(短篇)
27	五月與十二月	(短篇)
28	今夜星光燦爛	(短篇)
29	偶　遇	(短篇)
30	自得之場	(散文)
31	開到荼靡	(長篇)
32	舊歡如夢	(短篇)
33	花事了	(短篇)
34	散　髮	(短篇)
35	暮	(短篇)
36	過　客	(短篇)
37	戲	(短篇)
38	心之全蝕	(中篇)
39	退一步想	(散文)
40	璧　人	(短篇)
41	她比煙花寂寞	(長篇)
42	可人兒	(中篇)
43	白衣女郎	(短篇)
44	傳　奇	(短篇)
45	胭　脂	(長篇)
46	今夜不	(短篇)
47	剎那芳華	(散文)
48	琉璃世界	(短篇)
49	杜鵑花日子	(短篇)
50	小火燄	(中篇)
51	不要放棄春天	(短篇)
52	哀綠綺思	(短篇)
53	蝴蝶吻	(短篇)
54	無才可去補蒼天	(散文)
55	曾經深愛過	(長篇)
56	豈有豪情似舊時	(散文)
57	阿細之戀	(短篇)
58	雨　花	(中篇)
59	朝花夕拾	(長篇)
60	我　醜	(中篇)
61	我之試寫室	(散文)
62	藍這個顏色	(中篇)
63	惱人天氣	(短篇)
64	沒有月亮的晚上	(長篇)
65	貓兒眼	(短篇)
66	拍案驚奇	(中篇)
67	請勿收回	(中篇)
68	精　靈	(短篇)
69	紅鞋兒	(短篇)
70	圓　舞	(長篇)
71	試　練	(短篇)
72	戀　後	(短篇)
73	且自逍遙沒誰管	(散文)
74	金環蝕	(短篇)
75	安琪兒寫照	(短篇)
76	小玩意	(長篇)
77	樂未央	(散文)
78	玉梨魂	(中篇)
79	伊　人	(短篇)
80	綺　惑	(長篇)
81	一個夏天	(短篇)
82	說故事的人	(短篇)
83	流金歲月	(長篇)
84	一段雲	(短篇)
85	花裙子	(短篇)
86	異鄉人	(長篇)
87	忽爾今夏	(長篇)
88	歎息橋	(長篇)
89	得魚忘荃	(散文)
90	莫失莫忘	(中篇)
91	意綿綿	(散文)
92	人淡如菊	(長篇)
93	西岸陽光充沛	(長篇)
94	有過去的女人	(中篇)
95	石榴圖	(長篇)
96	說明書	(散文)